普通高等教育"十一五"国家级规划教材

汉语口语速成

入门篇

Threshold (Volume 2)

SHORT-TERM SPOKEN CHINESE

第三版 3rd Edition

马箭飞 主编

苏英霞 翟 艳 编著

北京大学出版社
PEKING UNIVERSITY PRESS

图书在版编目 (CIP) 数据

汉语口语速成．入门篇．下册 / 马箭飞主编；苏英霞，翟艳编著．—3 版．—北京：北京大学出版社，2015. 10
（博雅对外汉语精品教材）

ISBN 978-7-301-23992-6

Ⅰ．①汉…　Ⅱ．①马…②苏…③翟…　Ⅲ．①汉语－口语－对外汉语教学－教材　Ⅳ．① H195.4

中国版本图书馆 CIP 数据核字 (2015) 第 223215 号

书　　　　名	汉语口语速成（第三版）·入门篇（下册）
	Hanyu Kouyu Sucheng (Di-san Ban)·Rumen Pian (Xia Ce)
著作责任者	马箭飞 主编 苏英霞 翟 艳 编著
策　　　划	王 飙
责 任 编 辑	周 鹏
绘　　　图	潘弋妮
标 准 书 号	ISBN 978-7-301-23992-6
出 版 发 行	北京大学出版社
地　　　址	北京市海淀区成府路 205 号　100871
网　　　址	http://www.pup.cn　　新浪微博：@ 北京大学出版社
电 子 信 箱	zpup@pup.cn
电　　　话	邮购部 62752015　发行部 62750672　编辑部 62752028
印 刷 者	北京大学印刷厂
经 销 者	新华书店
	787 毫米 × 1092 毫米　16 开本　13.5 印张　276 千字
	2015 年 10 月第 3 版　2016 年 9 月第 2 次印刷
定　　　价	36.00 元（附赠录音光盘 1 张）

第三版出版说明

INTRODUCTION

　　《汉语口语速成》包含《入门篇》(上、下册)、《基础篇》(上、下册)、《提高篇》、《中级篇》、《高级篇》,是一套使用广泛的短期汉语口语教材。这套教材 1999—2000 年陆续由北京语言大学出版社出版,2005 年修订再版了《入门篇》(上、下册)、《基础篇》、《提高篇》和《中级篇》。第三版由北京大学出版社出版。

　　《汉语口语速成》是一套备受欢迎的成熟教材,因此,第三版的修订,主要是修改或更换过时的内容。除此之外,由于《基础篇》篇幅较大,第三版改为上、下册;第二版没有修订《高级篇》,这次一并修订。

　　欢迎广大师生继续使用这套教材,并积极反馈教学意见,以便我们将来继续打磨这套精品教材。

北京大学出版社

汉语及语言学编辑部

2015 年 6 月

前 言

《汉语口语速成》是为短期来华留学生编写的，以培养学生口语交际技能为主的一套系列课本。全套课本共分 7 册，分别适应具有"汉语水平等级标准"初、中、高三级五个水平的留学生的短期学习需求。

编写这样一套系列课本主要基于以下几点考虑：

1. 短期来华留学生具有多水平、多等级的特点，仅仅按初、中、高三个程度编写教材不能完全满足学生的学习需求和短期教学的需求，细化教学内容、细分教材等级，并且使教材形成纵向系列和横向阶段的有机结合，才能使教材具有更强的适应性和针对性。

2. 短期教学的短期特点和时间上高度集中的特点，要求我们在教学上要有所侧重，在内容上要有所取舍，不必面面俱到，所以短期教学的重点并不是语言知识的系统把握和全面了解，而是要注重听说交际技能的训练。这套课本就是围绕这一目的进行编写的。

3. 短期教学要充分考虑到教学的实用性和时效性，要优选与学生日常生活、学习、交际等方面的活动有直接联系的话题、功能和语言要素进行教学，并且要尽量使学生在每一个单位教学时间里都能及时地看到自己的学习效果。因此，我们试图吸收任务教学法的一些经验，力求每一课内容都能让学生掌握并应用一项或几项交际项目，学会交际中所应使用的基本话语和规则，从而顺利地完成交际活动。

4. 教材应当把教师在教学中的一些好经验、好方法充分体现出来。在提供一系列学习和操练内容的同时，还应当在教学思路、教学技巧上给使用者以启示。参与这套教材编写的人员都是有多年教学经验，并且在教学上有所创新的青年教师，他们中有多人都曾获得过校内外的多个教学奖项。我们希望这套教材能够反映他们在课堂教学上的一些想法，与同行进行交流。

5. 编写本套教材时，我们力求在语料选取、练习形式等方面有所突破。尽量选取并加工真实语料，增加交际性练习内容，使用图片、实物图示等手段丰富教材信息，增加交际实感，体现真实、生动、活泼的特点。

《汉语口语速成》系列课本包括《入门篇》(上、下册)、《基础篇》(上、下册)、《提高篇》、《中级篇》、《高级篇》7 本。

1. 入门篇（上、下册）

适合零起点和初学者学习。两册共 30 课，1—5 课为语音部分，自成系统，供使用者选用。6—30 课为主课文，涉及词汇语法大纲中最常用的词汇、句型和日常生活、学习等交际活动中最基本的交际项目。

2. 基础篇（上、下册）

适合具有初步听说能力，掌握汉语简单句型和 800 个左右词汇的学习者学习。两册共 24 课，涉及大纲中以乙级词汇为主的常用词、汉语特殊句式、复句以及日常生活、学习、社交等交际活动的简单交际项目。

3. 提高篇

适合具有基本的听说能力，掌握汉语一般句式和主要复句、特殊句式及 1500 个词汇的学习者学习。共 24 课（含 4 课复习），涉及以重点词汇为主的乙级和丙级语法内容和词汇；涉及生活、学习、社交、工作等交际活动的一般性交际项目。

4. 中级篇

适合具有一般的听说能力，掌握 2500 个以上汉语词汇以及一般性汉语语法内容的学习者学习。共 14 课，涉及以口语特殊格式、具有篇章功能的特殊词汇为主的丙级与丁级语法和词汇以及基本的汉语语篇框架；涉及生活、学习、工作、社会文化等方面较复杂的交际项目。

5. 高级篇

适合具有较好的听说能力，掌握 3500 个以上汉语词汇，在语言表达的流利程度、得体性、复杂程度等方面具有初步水平的学习者学习。共 20 课，涉及大纲中丁级语法项目和社会文化、专业工作等内容的复杂交际项目，注重训练学习者综合表达自己的态度见解和分析评判事情的能力。

《汉语口语速成》系列课本适合以 6 周及 6 周以下为教学周期的各等级短期班的教学使用，同时也可以作为一般进修教学的口语技能课教材和自学教材使用。

编者

简称表

ABBREVIATIONS

名词	míngcí	名	noun
动词	dòngcí	动	verb
助动词	zhùdòngcí	助动	auxiliary verb
形容词	xíngróngcí	形	adjective
代词	dàicí	代	pronoun
数词	shùcí	数	numeral
量词	liàngcí	量	measure word
数量词	shùliàngcí	数量	quantifier
副词	fùcí	副	adverb
连词	liáncí	连	conjunction
介词	jiècí	介	preposition
助词	zhùcí	助	particle
叹词	tàncí	叹	interjection
专有名词	zhuānyǒu míngcí	专名	proper noun

目 录

CONTENTS

第16课 他正在等他爱人呢

LESSON 16   HE IS WAITING FOR HIS WIFE

 生词 NEW WORDS

1	家	jiā	量	*a measure word for shops, stores, etc.*
2	正在	zhèngzài	副	in process of
3	打折	dǎ zhé		to reduce the prices, to offer discount
4	顾客	gùkè	名	customer
5	少	shǎo	形	few, little
6	有的	yǒude	代	some
7	挑	tiāo	动	to choose
8	排队	pái duì		to queue
9	交	jiāo	动	to pay
10	咦	yí	叹	*interjection to express curiosity*

11	先生	xiānsheng	名	sir, Mr.
12	找	zhǎo	动	to look for
13	刚才	gāngcái	名	just now
14	打（电话）	dǎ (diànhuà)	动	to make (a call)
15	招聘	zhāopìn	动	to advertise for (new employees)
16	打算	dǎsuàn	动/名	to plan; plan
17	应聘	yìngpìn	动	to accept an offer of employment
18	外边	wàibian	名	outside
19	下（雨）	xià (yǔ)	动	to rain
20	雨	yǔ	名	rain
21	一边…… 一边……	yìbiān…… yìbiān……		while
22	聊天儿	liáo tiānr		to chat
23	大家	dàjiā	代	all, everybody
24	明年	míngnián	名	next year
25	可能	kěnéng	助动	maybe
26	旅行	lǚxíng	动	to travel
27	回答	huídá	动	to answer
28	猜	cāi	动	to guess
29	擦*	cā	动	to wipe
30	黑板*	hēibǎn	名	blackboard
31	音乐*	yīnyuè	名	music
32	信*	xìn	名	letter
33	寄*	jì	动	to post, to mail
34	邮票*	yóupiào	名	stamp

说明： 加 * 的词出现在语法或练习中。

Note: The word with an asterisk appears in Garmmar or Exercises.

● 专名 PROPER NOUN

安娜	Ānnà	Anna

课文 TEXTS

1 Zhè jiā shāngdiàn de dōngxi zhèngzài dǎ zhé. Shāngdiàn li gùkè zhēn bù
这 家 商店 的 东西 正在 打折。 商店 里顾客 真 不

shǎo, yǒude zhèngzài tiāo dōngxi, yǒude zhèngzài
少，有的 正在 挑 东西，有的 正在

pái duì jiāo qián. Yí, zhè wèi xiānsheng zài
排队交 钱。咦，这位 先生 在

zuò shénme ne? Tā zhèngzài děng tā de
做 什么 呢? 他 正在 等 他的

àiren ne.
爱人呢。

2 Xiǎoyǔ zuìjìn hěn máng, tā zhèngzài zhǎo gōngzuò. Gāngcái wǒ qù tā
小雨 最近 很 忙，他 正在 找 工作。 刚才 我 去 他

nàr de shíhou, tā zhèngzài gěi yì jiā gōngsī dǎ diànhuà. Tīngshuō zhè jiā
那儿的 时候[1]，他 正在 给一家 公司 打 电话。 听说 这家

gōngsī zhèngzài zhāopìn zhíyuán, tā dǎsuàn qù yìngpìn.
公司 正在 招聘 职员，他 打算 去 应聘。

3 Wàibian zhèngzài xià yǔ, Lìli gēn péngyoumen zài fángjiān li yìbiān hē
外边 正在 下雨，莉莉跟 朋友们 在 房间 里一边 喝

kāfēi yìbiān liáo tiānr. Lìli wèn dàjiā: "Míngnián de zhè ge shíhou, nǐmen kěnéng
咖啡一边 聊天儿。莉莉问大家："明年 的 这个 时候，你们 可能

zài zuò shénme ne?" Xiǎoyè shuō: "Wǒ kěnéng zhèngzài gēn nánpéngyou yìqǐ
在 做 什么 呢?"小叶 说:"我 可能 正在 跟 男朋友 一起

lǚxíng." Zhíměi shuō: "Wǒ kěnéng zhèngzài xiǎng nǐmen." Ānnà de huídá hěn
旅行。"直美 说:"我 可能 正在 想 你们。"安娜的 回答 很

yǒu yìsi. Nǐ cāicai, tā shuō de shì shénme?
有 意思。你 猜猜, 她 说 的 是 什么?

注释 NOTE

1 刚才我去他那儿的时候

指示代词"这儿""那儿"可以与人称代词或不表示处所的名词结合起来，表示处所。
"……这儿"表示近指，"……那儿"表示远指。

The demonstrative pronouns "这儿" and "那儿" can be combined with a personal pronoun or
a noun of non-place reference to refer to place. "……这儿" refers to a nearer place while "……那儿"
to a more distant one.

语法 GRAMMAR

1. 正在……呢
2. 有的……有的……
3. 一边……一边……

1. 动作的进行 The progressive aspect of an action

表示动作处在进行的阶段，可在动词前加副词 "正在" "正" "在" 或在句尾加 "呢" 来表示。"正在" "正" "在" 可以和 "呢" 同时使用。例如：

In order to show that an action is in progress, one may place either one of the adverbs "正在", "正" and "在" before the verb or "呢" at the end of the sentence. "正在", "正" or "在" are very often used together with "呢" to express the progressive aspect, e.g.

① 他正在等他爱人呢。　② 外面正下大雨呢。

③ 小雨在给朋友打电话呢。　④ 他睡觉呢。

否定形式是 "没（有）" 或 "没在"。例如：

The negative form of the progressive aspect is made by using "没（有）" or "没在", e.g.

⑤ A：莉莉正在看电视吗？

　B$_1$：莉莉没有看电视，她在给朋友打电话呢。

　B$_2$：没有，她没在看电视，她在给朋友打电话呢。

动作的进行可以发生在现在，也可以发生在过去和将来。例如：

An action in progress may take place either in the present or in the past or future, e.g.

⑥ 昨天我去小雨家的时候，他正在听音乐呢。

⑦ 明年的这个时候，你们在做什么呢？

● **练习 EXERCISES** ●

看图进行替换练习 Do substitution drills according to the pictures

(1) 例 Example

A：她正在做什么呢？
B：她正在擦*黑板*呢。

听、音乐*

看、电视

唱、歌

(2)　例 Example

刚才我去她宿舍的时候，
她正在学习呢。

去教室、下雨

打电话、写信*

到、等

(3)　例 Example

她最近在找工作呢。

打折

招聘

学

(4) 例 Example

A：明年的这个时候，你可能
　　在做什么呢？

B：我可能在旅行呢。

2. "有的……有的……" The construction "有的……有的……"

代词"有的"作定语时，常指它所修饰的名词的一部分，可以单用，也可以两三个连用。例如：

When the pronoun "有的" functions as an attribute, it often means one part of the noun it modifies. It can go by itself or be used two or three times successively, e.g.

① 商店里顾客很多，有的正在挑东西，有的正在排队交钱。

② 我们班的同学有的喜欢吃辣的，有的喜欢吃甜的。

● 练习 EXERCISES ●

看图，用"有的……有的……"完成句子 Complete the sentences according to the pictures using the construction "有的……有的……"

这个鞋店很大，＿＿＿＿＿＿＿＿＿。

下课以后，＿＿＿＿＿＿＿＿＿。

这是小雨买的苹果，

＿＿＿＿＿＿＿。

邮局里有不少人，＿＿＿＿＿＿＿＿＿。
（寄＊、邮票＊）

3. "一边……一边……"　The construction "一边……一边……"

用在动词前，表示两个动作同时进行。例如：

It is used before two verbs to express that actions take place at the same time, e.g.

> ① 莉莉跟朋友们在房间里一边喝咖啡一边聊天儿。
>
> ② 彼得一边听音乐，一边吃饭。

• 练习　EXERCISES •

用 "一边……一边……" 对下面各图进行描述　Give a description to each picture using the construction "一边……一边……"

综合练习 COMPREHENSIVE EXERCISES

▶ 一、根据所给材料组织会话 Make dialogues according to the given information

1.

> 莉莉的男朋友现在在巴黎（Bālí, Paris）。他在大学学习，明年毕业（bì yè, to graduate）。莉莉打算明年的这个时候跟男朋友一起来中国旅行。
>
> 听说学校附近的一家商店正在打折，小叶想跟莉莉一起去看看。莉莉告诉小叶，外边正在下雨。

会话情景 Situation：小叶给莉莉打电话的时候，莉莉正在给她男朋友写信。

会话角色 Roles：小叶和莉莉。

2.

> 小雨、保罗和英男最近都很忙。小雨正在找工作；保罗的爱人和孩子下（xià, next）星期来北京，保罗正在找房子；英男正在谈恋爱（tán liàn'ài, to fall in love），他的女朋友（nǚpéngyou, girlfriend）也在北京学汉语。

会话情景 Situation：小雨去一家公司应聘，在学校门口遇见英男，他正在等他的女朋友。

会话角色 Roles：小雨和英男。

▶ 二、看图说话 Give a talk according to the pictures

1.

> 保罗是德国一家汽车公司的职员……

2.

现在是休息时间（shíjiān, time），有的……

⏩ 三、听后复述 Listen to the recording, and then retell what you've heard

生词 New Words

钥匙	yàoshi	名	key
结婚	jié hūn		to marry
刮	guā	动	to shave
胡子	húzi	名	beard
亲爱	qīn'ài	形	dear, beloved

生词 NEW WORDS

1	逛	guàng	动	to stroll, to take a leisure walk
2	裙子	qúnzi	名	skirt, dress
3	顶	dǐng	量	*a measure word for hats*
4	帽子	màozi	名	hat
5	嗬	hē	叹	*interjection to express surprise or praise*
6	这么	zhème	代	so
7	陪	péi	动	to accompany
8	风景	fēngjǐng	名	scenery

9	特别	tèbié	副	especially
10	美	měi	形	beautiful
11	烤鸭	kǎoyā	名	roast dusk
12	只	zhī	量	*a measure word for animals*
13	病	bìng	动/名	to be ill; disease, illness
14	抽（时间）	chōu (shíjiān)	动	to find (time to do)
15	时间	shíjiān	名	time
16	看	kàn	动	to call on, to visit, to see
17	已经	yǐjīng	副	already
18	以前*	yǐqián	名	before
19	上*	shàng	名	last
20	洗*	xǐ	动	to wash
21	衣服*	yīfu	名	clothes
22	枝*	zhī	量	*a measure word for flowers with stems intact*
23	洗澡*	xǐ zǎo		to take a shower or bath
24	玩儿*	wánr	动	to play

● 专名　PROPER NOUNS

1	全聚德	Quánjùdé	*name of a restaurant famous for its roast duck*
2	上海	Shànghǎi	*name of a Chinese city*

课文 TEXTS

1 Xiǎoyè：Gāngcái nǐ qù nǎr le?
　　小叶：刚才　你去哪儿了？

Lìli：Wǒ gēn Zhíměi guàng shāngdiàn qù le.
莉莉：我 跟 直美 逛 商店 去了。

Xiǎoyè：Nǐ mǎi dōngxi le ma?
小叶：你买 东西 了吗?

Lìli：Wǒ méi mǎi dōngxi, Zhíměi mǎi le.
莉莉：我 没买东西， 直美买了。

Xiǎoyè：Tā mǎile shénme dōngxi?
小叶：她买了 什么 东西?

Lìli：Tā mǎile sān jiàn chènyī、liǎng tiáo qúnzi, hái yǒu yì dǐng màozi.
莉莉：她买了三件 衬衣、两 条裙子，还有一顶 帽子。

Xiǎoyè：Hē，mǎile zhème duō!
小叶：嗬，买了 这么 多!

2

Xiǎoyè：Zhōumò nǐ zuò shénme le?
小叶：周末 你做 什么 了?

Lìli：Wǒ péngyou lái Běijīng le,
莉莉：我 朋友 来 北京 了,

zhōumò wǒ péi tā qù Cháng-
周末 我陪他去 长

chéng le.
城 了。

Xiǎoyè：Nǐmen qù Yíhé Yuán le méiyǒu? Wǒ juéde Yíhé Yuán de fēngjǐng
小叶：你们 去颐和 园了 没有? 我 觉得颐和 园 的 风景

tèbié měi.
特别 美。

Lìli：Hái méi qù ne. Wǒmen dǎsuàn hòutiān qù.
莉莉：还 没去呢。 我们 打算 后天 去。

Xiǎoyè：Nǐ qǐng tā chī Běijīng kǎoyā le ma?
小叶：你 请他吃 北京 烤鸭了吗?

Lìli：Nà hái yòng shuō.　Zuótiān wǒmen zài Quánjùdé chīle yí dà zhī

莉莉：那 还 用 说。[1] 昨天 我们 在 全聚德 吃了一大只

　　　kǎoyā.

　　　烤鸭。

3　Yīngnán：Tīngshuō Xiǎoyǔ bìng le.　Zánmen chōu shíjiān qù kànkan

英男：听说　小雨 病 了。[2] 咱们 抽 时间 去 看看

　　　tā ba.

　　　他 吧。

Bǎoluó：Hǎo，shénme shíhou qù?

保罗：好， 什么 时候 去?

Yīngnán：Míngtiān méiyǒu kè，chīle zǎofàn jiù qù ba.

英男：明天　没有 课，吃了 早饭 就 去 吧。

Bǎoluó：Nǐ yǐjīng gàosu Xiǎoyǔ le ma?

保罗：你 已经 告诉 小雨 了 吗?

Yīngnán：Hái méi ne，wǒ xiàle kè jiù gěi tā dǎ diànhuà.

英男：还 没 呢，我 下了 课 就 给 他 打 电话。

注释 NOTES

1　那还用说。

"那还用说" 在口语中用作答句，表示肯定，与 "当然了" 意思一样。

"那还用说" is used as an answer denoting an affirmative form. It has the same meaning as "当然了".

2　听说小雨病了。

这里的语气助词 "了" 表示变化。

The modal particle "了" here indicates that the situation has changed.

语法 GRAMMAR

1. 了
2. ······ 了 ······ 就 ······

1. 动态助词 "了" Aspect particle "了"

　　加在动词之后表示动作所处的阶段的助词叫动态助词。动态助词 "了" 加在动词后边，表示动作的完成。例如：

The particle placed after a verb and expressing the period during which the action takes place is called an aspect particle. The aspect particle "了" placed after a verb denotes that the action is accomplished, e.g.

> ① 她买了三件衬衣、两条裙子，还有一顶帽子。
> ② 昨天我们在全聚德吃了一大只烤鸭。

　　否定式是在动词前加上 "没（有）"，去掉 "了"。例如：

The negative form of the sentences of this type is to add "没（有）" before the verb and to omit "了", e.g.

> ③ 我没买东西，直美买了。

　　如果一个动作可能会发生或一定会发生，但是现在还未发生，可以用 "还没（有）······呢"。例如：

If an action may happen or will certainly happen, but now it has not happened yet，one can use "还没（有）······呢", e.g.

④ A：你们去颐和园了没有？

　　B：还没去呢。

⑤ A：你已经告诉小雨了吗？

　　B：还没呢，我下了课就给他打电话。

正反疑问句形式如下：

The form of affirmative-negative question is:

⑥ 安娜来了没有？

⑦ 昨天的作业你做了没有？

🛈 **注意：**

NB：

A. 动作的完成只表示动作所处的阶段，与动作发生的时间（过去、现在、将来）无关。

The accomplishment of the action just expresses the period of the action, and has nothing to do with the time when the action happens (past, present or future).

B. 发生在过去的动作，如果是经常性的或者不需着重说明动作已经完成时，动词后不加"了"。例如：

As for the actions taking place in the past, if they have happened frequently or if there is no need to emphasize that they have happened in the past, one doesn't add "了" after the verb, e.g.

⑧ 以前＊他常常来我家玩儿。

⑨ 去年八月我在北京学习汉语。

C. 带"了"的动词如果后边有宾语，这个宾语一般要带数量词或其他定语才可构成完整的句子。例如：

If the verbs followed by "了" have objects, there is usually quantifiers or other attributives in the objects, e.g.

⑩ 我买了一本书。

⑪ 我又认识了几个新朋友。

如果宾语为简单宾语，"了"常放在句末。例如：

If the objects are simple ones, "了" is often placed at the end of the sentence, e.g.

⑫ 上 * 星期你去哪儿了？

⑬ 我朋友来北京了，周末我陪他去长城了。

• 练习 EXERCISES •

看图完成会话 Complete the dialogues according to the pictures

A：直美买什么了？

B：_____。

A：她买了几斤西红柿？

B：_____。

A：_____？

B：莉莉刚才洗 * 衣服 * 了。

A：_____？

B：她洗了三件衣服。

A：英男买花了没有？

B：_____。

A：_____？

B：他买了一枝 *。

A：_____？

B：她们已经点菜了。

A：她们点了几个菜？

B：_____。

2. "……了……就……"　The construction "……了……就……"

　　"……了……就……"格式表示两个动作连续发生，第二个动作紧接着第一个动作。例如：

The construction "……了……就……" indicates that two actions take place one after the other, e.g.

> ① 我下了课就给他打电话。
>
> ② 明天我吃了早饭就去找你。

• 练习　EXERCISES •

用 "……了……就……" 格式完成句子　Complete the sentences using the construction "……了……就……"

❶ 我到了北京_____。

❷ 我洗了澡 *_____。

❸ _____就出发。

❹ _____就去吃饭。

综合练习 COMPREHENSIVE EXERCISES

➡ 一、根据所给材料组织会话 Make dialogues according to the given information

---

英男的日记

2015 年 8 月 1 日　　　星期六

今天我跟朋友们一起去歌厅了。我唱了三四支韩国歌，还唱了一支中国歌。听说北京饭店（fàndiàn, hotel）旁边新开（kāi, to open）了一家歌厅，我们打算下星期去那儿玩儿*玩儿。

保罗的日记

2015 年 8 月 1 日　　　星期六

今天我们一家人去颐和园玩儿。颐和园的风景美极了！参观完了颐和园，我们就去吃午饭了。爱莉斯（Àilìsī, Alice, 保罗的女儿）觉得饺子很好吃，她吃了十多个。然后我们还逛了两个商店，珍妮（Zhēnnī, Jenny, 保罗的爱人）买了很多东西。买了东西我们就回饭店了。今天我们累极了！

会话情景 Situation：英男和保罗星期一在教室谈话。

会话题目 Topic：周末你做什么了？

⏩ 二、看图说话 Give a talk according to the pictures

<h2 style="text-align:center">直美的星期天</h2>

三、听后回答问题并复述　Listen to the recording, then answer the questions and retell what you've heard

生词 New Words

开	kāi	动	to hold (a meeting)
晚会	wǎnhuì	名	evening party
市场	shìchǎng	名	market, bazaar
蛋糕	dàngāo	名	cake

问题 Question

直美和莉莉买了什么东西？

生词 NEW WORDS

1	秋天	qiūtiān	名	autumn
2	天气	tiānqì	名	weather
3	山	shān	名	hill, mount
4	树叶	shùyè	名	leaf
5	红叶	hóngyè	名	red autumnal leaves (of the maple, etc.)
6	巧	qiǎo	形	coincidental
7	阴	yīn	形	overcast
8	能	néng	助动	can
9	睡懒觉	shuì lǎnjiào		to get up late
	睡觉	shuì jiào		to sleep
	懒	lǎn	形	lazy

10	瘦	shòu	形	thin
11	看上去	kàn shangqu		it looks...
12	更	gèng	副	more
13	下	xià	名	next
14	回	huí	动	to return, to call back
15	亲戚	qīnqi	名	relative
16	冬天*	dōngtiān	名	winter
17	冷*	lěng	形	cold
18	春天*	chūntiān	名	spring
19	暖和*	nuǎnhuo	形	warm
20	夏天*	xiàtiān	名	summer
21	晴*	qíng	形	sunny
22	刮*	guā	动	(of wind) to blow
23	风*	fēng	名	wind
24	导游*	dǎoyóu	名	tour guide
25	胖*	pàng	形	fat
26	饱*	bǎo	形	full (of eating)
27	开*	kāi	动	to bloom
28	考试*	kǎoshì	动/名	to exam; examination
29	结婚*	jié hūn		to marry
30	关*	guān	动	to close, to shut
31	门*	mén	名	door
32	分钟*	fēnzhōng	名	minute
33	开*	kāi	动	(of a train, bus, ship, etc.) to leave, to start
34	幼儿园*	yòu'éryuán	名	kindergarten
35	小学*	xiǎoxué	名	primary school

● **专名 PROPER NOUN**

| 香山 | Xiāng Shān | *name of a hill in Beijing* |

课文 TEXTS

1

Qiūtiān le, tiānqì liáng le, shān shang de shùyè dōu hóng le. Xīméng
秋天 了，天气 凉 了，山 上 的 树叶 都 红 了。西蒙

tāmen dǎsuàn jīntiān qù Xiāng Shān kàn hóngyè, kěshì zhēn bù qiǎo, tiān yīn
他们 打算 今天 去 香 山 看 红叶，可是 真 不 巧，天 阴

le, yào xià yǔ le.
了，要 下 雨 了。

2

Xiǎoyǔ xiànzài shì zhíyuán le， gōngzuò hěn máng， wánr de shíjiān shǎo le，
小雨 现在是 职员了， 工作 很 忙，玩儿的时间 少了，

yě bù néng shuì lǎnjiào le. Qián jǐ tiān tā bìng le， xiànzài yǐjīng hǎo le. Zuìjìn tā
也不 能 睡 懒觉了。前几天他病 了，现在 已经 好了。最近他

yǒudiǎnr shòu le， búguò kàn shangqu gèng shuài le.
有点儿 瘦了，不过 看 上去 更 帅了。

3 Xiànzài shíyī diǎn wǔshí le， yào xià kè le. Xià kè yǐhòu， Xīméng dǎsuàn
现在 十一 点 五十了，要下课了。下课以后， 西蒙 打算

xiān qù shítáng chī fàn， ránhòu qù shāngdiàn. Tā xià xīngqī jiù yào huí guó le，
先 去 食堂 吃 饭， 然后 去 商店。 他下星期 就要 回 国了，

tā yào gěi jiālirén hé qīnqi péngyou mǎi diǎnr lǐwù.
他要 给 家里人 和 亲戚 朋友 买 点儿 礼物。

语法 GRAMMAR

1. 秋天了。
2. 要……了
3. 能、可以

1. 语气助词"了" Modal particle "了"

语气助词"了"用在句末表示情况的变化或新情况的出现。例如：

The modal particle "了" used at the end of the sentence can express that the situation has changed or that a new situation has appeared, e.g.

① 秋天了，天气凉了。　　② 现在他的病已经好了。

③ 现在十一点五十了，要下课了。　　④ 今年我二十一岁了。

• 练习 EXERCISES •

看图进行替换练习 Do substitution drills according to the pictures

(1) 例 Example

秋天了，天气凉了。

冬天 * 、冷 *

春天 *、暖和 *

夏天 *、热

(2) 例 Example

天<u>阴</u>了。

晴 *

下雨

刮 * 风 *

(3)　例 Example

<u>7</u>点了，该<u>起床</u>了。

(4)　例 Example

<u>小雨</u>现在是<u>职员</u>了。

小元、医生

小红、老师

小冬、导游*

小夏、记者

(5) 例 Example

她胖*了。

他、饱 *

花、开 *

衣服、便宜

咖啡、凉

2. "要……了" The construction "要……了"

表示一个情况很快就要变化或新情况很快就要发生。例如:

This construction indicates that a situation is about to change or a new situation is about to occur, e.g.

① 要下课了。　　② 我要回国了。

"要"的前边还可以加上"就"或"快",表示时间紧迫。"快要……了"也可以说"快……了"。例如:

When preceded by "就" or "快" as an adverbial adjunct, "要" shows immmence. "快要……了" is often reduced to "快……了", e.g.

③ 他就要回国了。　　④ 快上课了。

"就要……了"前面可以加时间名词充任的状语,"快要……了"不能。例如:

Before "就要……了", one can add a noun denoting time as an adverbial adjunct, but one can't add it before "快要……了", e.g.

⑤ 他下星期就要回国了。

• 练习 EXERCISES •

用"要……了""就要……了""快要……了"改说句子　Change the sentences using the construction "要……了", "就要……了" or "快要……了"

例 Example　我们下星期考试 *。⇨ 我们要考试了。

❶ 现在 7:55,8:00 上课。　　　　⇨ _____。

❷ 小雨的姐姐下个月结婚 *。　　　⇨ _____。

❸ 现在 4:00,银行 4:30 关 * 门 *。⇨ _____。

❹ 保罗的爱人和孩子大后天回国。　⇨ _____。

❺ 火车两分钟 * 以后开 *。　　　　⇨ _____。

3. 能愿动词 (2):能、可以　Modal verbs (2): "能" and "可以"

A. 表示具有某种能力或可能性。例如:

They are both used to indicate ability to do something or probability, e.g.

① 你能吃辣的吗?

② 你去商店的时候,能帮我买瓶矿泉水吗?

③ 他不会说汉语没关系,我可以跟他说英语。

B. 表示客观上的允许。例如:

They are also used to express permission depending on circumstances, e.g.

④ 病人正在休息，你们不能进去。

⑤ 这件衣服我可以试试吗？

注意：除了在表示禁止时用"不可以"以外，"能"和"可以"的否定形式一般都是"不能"。

NB："不可以" usually expresses prohibition. "不能"，the negative form of both "能" and "可以"，indicates inability to do something.

• 练习 EXERCISES •

用"不可以"或"不能"回答问题　Answer the questions using "不可以" or "不能"

A：今天下午你可以陪我去
　　逛商店吗？

B：今天下午我有事，_____

_____。

红
绿

A：现在汽车可以往前
　　走吗？

B：_____。

A：妈妈，我可以不去上课吗？

B：_____。

综合练习 COMPREHENSIVE EXERCISES

一、看图说话 Give a talk according to the pictures

1. 春天了

······暖和······ ······开······ ······绿······

2. 我妹妹工作了

······是······ ······忙······

······少······ ······不能······

二、根据所给材料组织会话 Make dialogues according to the given information

> 上星期小雨病了，现在快好了，下星期就能上班（shàng bān, to go to work）了。英男和保罗最近也很忙，他们后天考试，现在正在复习（fùxí, to review）。

会话情景 Situation：英男和保罗今天去看小雨。

会话角色 Roles：英男、保罗和小雨。

会话题目 Topic：你的病好点儿了吗？

三、听后复述 Listen to the recording, and then retell what you've heard

幼儿园 *　　　　小学 *

第19课 你游泳游得怎么样

LESSON 19　　HOW WELL DO YOU SWIM

生词 NEW WORDS

1	会	huì	助动	can
2	游泳	yóu yǒng		to swim
3	得	de	助	*a particle used after a verb or an adjective to introduce a complement of result or degree*
4	羡慕	xiànmù	动	to admire
5	旱鸭子	hànyāzi	名	non-swimmer
6	运动	yùndòng	名	sports, exercises
7	爱	ài	动	to like
8	踢	tī	动	to play (football), to kick

9	足球	zúqiú	名	football
10	球星	qiúxīng	名	(football, basketball, etc.) star
11	棒	bàng	形	excellent
12	队	duì	名	team
13	比赛	bǐsài	名	match
14	女朋友	nǚpéngyou	名	girlfriend
	女	nǚ	形	female
15	音乐会	yīnyuèhuì	名	concert
16	得	děi	助动	should
17	赢	yíng	动	to win
18	估计	gūjì	动	to estimate
19	一定	yídìng	副	surely
20	输	shū	动	to lose
21	打*（球）	dǎ (qiú)	动	to play (ball games)
22	网球*	wǎngqiú	名	tennis
23	篮球*	lánqiú	名	basketball
24	做*	zuò	动	to cook
25	打字*	dǎ zì		to type
26	吸烟*	xī yān		to smoke
27	抽烟*	chōu yān		to smoke
28	场*	chǎng	量	*a measure word for matches*
29	早*	zǎo	形	early
30	晚*	wǎn	形	late

● 专名 PROPER NOUNS

| 1 | 罗纳尔多 | Luóná'ěrduō | | *name of a famous Brazilian football player* |
| 2 | 巴西 | Bāxī | | Brazil |

课文 TEXTS

1

Zhíměi： Nǐ huì yóu yǒng ma?
直美： 你会游泳吗?

Xiǎoyè： Wǒ huì yóu yǒng.
小叶： 我会游泳。

Zhíměi： Nǐ yóu yǒng yóu de zěnmeyàng?
直美： 你游泳游得怎么样?

Xiǎoyè： Wǒ yóu de búcuò, néng yóu bābǎi mǐ ne.
小叶： 我游得不错，能游八百米呢[1]。

Zhíměi： Wǒ zhēn xiànmù nǐ, wǒ shì ge hànyāzi.
直美： 我真羡慕你，我是个旱鸭子。

2

Xiǎoyǔ： Nǐ xǐhuan shénme yùndòng?
小雨： 你喜欢什么运动?

Bǎoluó： Wǒ ài tī zúqiú. Nǐ huì bu huì tī zúqiú?
保罗： 我爱踢足球。你会不会踢足球?

Xiǎoyǔ： Huì yìdiǎnr, búguò tī de bù zěnmeyàng.
小雨： 会一点儿，不过踢得不怎么样[2]。

Bǎoluó： Nǐ zuì xǐhuan nǎ ge qiúxīng?
保罗： 你最喜欢哪个球星?

Xiǎoyǔ： Luónà'ěrduō. Tā qiú tī de zhēn bàng!
小雨： 罗纳尔多。他球踢得真棒!

Bǎoluó： Jīn wǎn diànshì li yǒu Bāxī Duì gēn Déguó Duì de zúqiú bǐsài.
保罗： 今晚电视里有巴西队跟德国队的足球比赛。

Nǐ xiǎng bu xiǎng kàn?
你想不想看?

Xiǎoyǔ： Wǒ nǚpéngyou yào qù tīng yīnyuèhuì, wǒ děi péi tā.
小雨： 我女朋友要去听音乐会，我得陪她。

Bǎoluó： Nǐ cāi nǎ ge duì huì yíng?
保罗：你 猜 哪 个 队 会 赢？

Xiǎoyǔ： Wǒ gūjì   Bāxī Duì huì yíng.
小雨：我 估 计 巴 西 队 会 赢。

Bǎoluó： Zhè shì zài Déguó tī, wǒ xiǎng Déguó Duì yídìng bú huì shū.
保罗：这 是 在 德 国 踢，我 想   德 国 队 一 定 不 会 输。

注释 NOTES

1 能游八百米呢。

"呢" 在这里用来指明事实，并略带夸张、自豪的语气。
"呢" here indicates the fact and conveys a sense of exaggeration and pride.

2 踢得不怎么样。

"不怎么样" 表示评价，意思相当于 "不好"。
"不怎么样" expresses an evaluation. It has the same meaning as "不好".

语法 GRAMMAR

1. 会、得 (děi)
2. 踢得好

1. 能愿动词（3）：会、得（děi） Modal verbs (3): "会" and "得"（děi）

（1）会

A. 表示通过学习掌握一种技能。例如：

It denotes skill acquired or mastered as a result of study, e.g.

① 我会游泳。　　　　　② 他会说一点儿汉语。

B. 表示可能性。例如：

It indicates possibilities, e.g.

③ 我估计巴西队会赢。　　④ 今天不会下雨吧？

• 练习 **EXERCISES** •

1. 用所给词语做替换练习，并根据实际情况回答 Do substitution drills with the given words, then answer the questions according to the actual situation

游泳
踢足球
打 * 网球
打篮球 *
做 * 菜
骑车
打字 *

A：你会说<u>汉语</u>吗？

B：<u>会一点儿</u>。

2. 看图，用"会"或者"能"完成会话　Complete the dialogues according to the pictures using "会" or "能"

A：英男会说汉语吗？

B：＿＿＿＿＿＿＿＿。

A：现在他能用汉语跟中
　　国人聊天儿吗？

B：＿＿＿＿＿＿＿＿＿。

500 米

A：她会不会游泳？

B：＿＿＿＿＿＿＿＿。

A：她能游多少米？

B：＿＿＿＿＿＿＿＿。

A：一号会不会打字？

B：＿＿＿＿＿＿＿＿。

A：她一分钟能打多少字？

B：＿＿＿＿＿＿＿＿。

A：这位先生会抽烟＊吗？

B：＿＿＿＿＿＿＿＿。

A：在电影院里能不能抽烟？

B：＿＿＿＿＿＿＿＿。

A：你会游泳吗？

B：_____。

A：这儿可以游泳吗？

B：_____。

3. 看图回答问题　Answer the questions according to the pictures

A：今天会下雨吗？

B：_____。

A：这件礼物你女儿会不会
　　喜欢？

B：_____。

A：你估计这场＊比赛哪个
　　队会赢？

B：_____。

A：以后我们还会见面吗？

B：_____。

（2）得（děi）

表示客观上的必要。否定式为"不用"。例如：

It denotes necessity depending on circumstances. The negative form is made by using "不用", e.g.

> ① 我女朋友要去听音乐会，我得陪她。
>
> ② A：西蒙病了，今天不能来上课，我得告诉老师一下儿。
>
> B：不用了，我已经告诉老师了。

● **练习 EXERCISES** ●

用"得（děi）"完成句子 Complete the sentences with "得"(děi)

❶ 要考试了，＿＿＿＿＿＿＿＿＿＿＿＿＿。

❷ 外边下雨了，＿＿＿＿＿＿＿＿＿＿＿＿＿。

❸ 这孩子病了，＿＿＿＿＿＿＿＿＿＿＿＿＿。

❹ 那儿离这儿比较远，＿＿＿＿＿＿＿＿＿＿＿＿＿。

2. 状态补语 Complement of state

动词或形容词后边的补充说明成分叫补语。表示动作状态的补语，叫作状态补语。简单的状态补语一般由形容词充当，状态补语与动词之间用结构助词"得"来连接。例如：

A verb or an adjective can take after it another word to explain further or complete its meaning, which is known as a complement. A complement that indicate the state of an action is called the complement of state. Simple complements of state are usually made of adjectives and the structural particle "得" is used to connect the verb and its complement of state, e.g.

> ① A：你游泳游得怎么样？
>
> B：我游得不错。

② 他球踢得棒极了。

否定形式是在状态补语前加上"不"。例如：

The negative form is made by adding a "不" before the complement，e.g.

③ 我足球踢得不太好。

正反疑问式是并列补语的肯定和否定形式。例如：

The affirmative-negative form is obtained by juxtaposing the affirmative of the complement and the negative form of it, e.g.

④ 莉莉唱得好不好？

动词后既有宾语又有状态补语时，必须在宾语后重复动词。例如：

If the verb is followed by both the object and the complement of state, the verb has to be repeated after the object, e.g.

⑤ 我唱歌唱得不错。

如果要突出宾语或宾语比较复杂，可以把宾语放在动词或主语之前。例如：

If one wants to emphasize the object or if the object is complex, one can place the object before the verb or the subject, e.g.

⑥ 西蒙汉语说得不错，汉字写得不太好。

⑦ 昨天的作业你们做得怎么样？

• 练习 **EXERCISES** •

看图，用状态补语完成句子　Complete the sentences with complement of state according

to the pictures

例 Example

踢球　好
保罗<u>踢球踢得很好</u>。

打篮球、棒

5 号 <u>　　　　　　　　　　　</u>。

睡、早 */ 晚 *

爷爷 <u>　　　　　　　　　</u>。

小雨 <u>　　　　　　　　　</u>。

玩儿、高兴

孩子们 <u>　　　　　　　　</u>。

骑、好

他 <u>　　　　　　　　　</u>。

综合练习 COMPREHENSIVE EXERCISES

一、会话练习 Dialogue exercise

会话题目 Topic：你喜欢什么运动？

二、看图说话 Give a talk according to the pictures

1. 我真羡慕他们

① 英男会……

② V 得……

③ 要……

④ 一定会……

2.

三、听后判断正误并复述 Judge whether the statements below are true or false after listening, and then retell what you've heard

生词 New Words

| 练习 | liànxí | 动 | to practise |

❶ 我以前不会游泳。 ☐

❷ 从下星期开始，我朋友教我游泳。 ☐

❸ 我觉得游泳太累，没有意思。 ☐

❹ 现在我还不会游泳。 ☐

❺ 昨天我跟游泳老师比赛，我赢了。 ☐

LESSON 20　I WILL GO BACK TO MY COUNTRY TOMORROW

来北京　2015.7.20　星期一

回国　2015.8.30　星期日

生词　NEW WORDS

1	过	guò	动	to pass
2	虽然	suīrán	连	though
3	紧张	jǐnzhāng	形	intense
4	但是	dànshì	连	but
5	愉快	yúkuài	形	happy
6	小时	xiǎoshí	名	hour
7	送	sòng	动	to see sb. off
8	才	cái	副	*used before a verb to indicate that something has just happened or it is rather late by general standards*
9	半天	bàntiān	名	a long time
10	因为	yīnwèi	连	because
11	堵车	dǔ chē		traffic jam
12	所以	suǒyǐ	连	so, therefore
13	好	hǎo	副	very

14	一会儿	yìhuǐr/yíhuìr	数量	a while
15	不用	búyòng	副	don't bother
16	准备	zhǔnbèi	动	to plan
17	报纸*	bàozhǐ	名	newspaper
18	话*	huà	名	word
19	流利*	liúlì	形	fluent
20	安静*	ānjìng	形	quiet
21	邻居*	línjū	名	neighbor

● **专名 PROPER NOUN**

| 巴黎 | Bālí | Paris |

课文 TEXTS

1

Bǎoluó: Shíjiān guò de zhēn kuài, wǒmen lái Zhōngguó yǐjīng yí ge duō
保罗：时间 过 得 真 快，我们 来 中国 已经 一个 多

yuè le.
月 了。

Xīméng: Shì a, míngtiān wǒ jiù yào huí guó le.
西蒙：是 啊，明天 我 就 要 回国 了。

Bǎoluó: Nǐ juéde zài zhèr guò de zěnmeyàng?
保罗：你 觉得 在 这儿 过 得 怎么样？

Xīméng: Suīrán xuéxí hěn jǐnzhāng, dànshì wǒ guò de tǐng yúkuài.
西蒙：虽然 学习 很 紧张，但是 我 过 得 挺 愉快。

Bǎoluó: Cóng Běijīng dào Bālí děi zuò duō cháng shíjiān de fēijī?
保罗：从 北京 到巴黎 得 坐 多 长 时间 的 飞机？

Xīméng：Shíjiān bú tài cháng, zuò shíjǐ ge xiǎoshí jiù dào le.

西蒙：时间 不太 长， 坐 十几 个 小时 就 到 了。

Bǎoluó：Míngtiān wǒmen qù sòng nǐ.

保罗：明天 我们 去 送 你。

2 Bǎoluó：Nǐ zěnme xiànzài cái lái? Wǒmen děngle nǐ bàntiān le.

保罗：你 怎么 现在 才 来？ 我们 等 了 你 半天 了。

Xiǎoyǔ：Yīnwèi lù shang dǔ chē le, suǒyǐ qìchē kāile wǔshí fēnzhōng

小雨：因为 路 上 堵车 了，所以 汽车 开 了 五十 分钟

cái dào.

才 到。

Bǎoluó：Nǐ yīnggāi zǎo diǎnr chūfā.

保罗：你 应该 早 点儿 出发。

Xiǎoyǔ：Wǒ qī diǎn jiù chūfā le, děng chē děngle hǎo cháng shíjiān.

小雨：我 七 点 就 出发 了，等 车 等 了 好 长 时间。

Bǎoluó：Nǐ xiān xiūxi yìhuǐr.

保罗：你 先 休息 一会儿。

Xiǎoyǔ：Búyòng le, zánmen kuài zǒu ba.

小雨：不用 了，咱们 快 走 吧。

3 （在出租车里）

Sījī：Nǐmen xuéle duō cháng shíjiān Hànyǔ le?

司机：你们 学了 多 长 时间 汉语 了？

Xīméng：Wǒmen xuéle yí ge duō yuè le.

西蒙：我们 学 了 一个 多 月 了。

Sījī：Nǐmen shuō de zhēn búcuò.

司机：你们 说 得 真 不错。

Xīméng：Nǎli nǎli, hái chà de yuǎn ne.

西蒙：哪里 哪里，还 差 得 远 呢。[1]

Sījī: Nǐmen hái zhǔnbèi xué duō cháng shíjiān?
司机： 你们 还 准备 学 多 长 时间？

Xīméng: Wǒ jīntiān jiù huí guó, tāmen hái yào zài xué liǎng ge xīngqī.
西蒙： 我 今天 就 回 国，他们 还 要 再 学 两 个 星期。

注释 NOTE

1 哪里哪里，还差得远呢。

"哪里哪里"在此表示客气，常用于回答别人对自己的夸奖。"还差得远呢"也是表示谦虚的用语，当别人对自己某方面的能力表示赞扬时，常常这样回答。

"哪里哪里" here expresses courtesy after hearing a complimentary remark. "还差得远呢" is also often used to express modesty when people praise your skill in one domain.

语法 GRAMMAR

1. 我来中国一个月了。
2. 就、才
3. 虽然……但是……
4. 因为……所以……

1. 时量补语 Complement of duration

时量补语用来说明一个动作或一种状态持续多长时间。例如：

A complement of duration is used to show the duration of an action or a state, e.g.

① 时间过得真快，我们来中国已经一个多月了。

② A：从北京到巴黎得坐多长时间的飞机？

　　B：时间不太长，坐十几个小时就到了。

如果动词后有宾语，有时要重复动词，时量补语放在重复的动词后边。例如：

If the verb is followed by an object, the verb is generally repeated, and the complement of duration follows at its second appearance, e.g.

③ 我七点就出来了，等车等了好长时间。

④ 每天西蒙吃早饭吃十分钟。

如果宾语不是人称代词，时量补语可以放在动词和宾语之间。如例③、④可以说成：

If the object is a non-personal pronoun, the complement of duration can also be put between the verb and its object. For example, sentences ③ and ④ can be rewritten as follows:

⑤ 我七点就出来了，等了好长时间的车。

⑥ 每天西蒙吃十分钟的早饭。

如果一个动词表示的动作是不能持续的，则时量补语表示从动作发生到某时（或说话时）的一段时间。例如：

If an action is not a continuous one, the complement of duration indicates a period of time from the occurrence of this action to the time of speaking, e.g.

⑦ 我来北京一个多月了。

⑧ 现在是十二点半，同学们已经下课半个小时了。

带时量补语的句子，如果动词带动态助词"了"，同时句尾还有语气助词"了"，则表示这个动作仍在继续进行。例如：

If there is an aspect particle "了" behind the verb and a modal particle "了" at the end of the sentence with a complement of duration, the action is still in progress, e.g.

⑨ 我们学了一个月了。

• 练习 **EXERCISES** •

看图进行替换练习   Do substitution drills according to the pictures

(1) 例 Example

睡
A：他睡了多长时间？
B：他睡了8个小时。

❶

等

❷

骑

❸

6 月 20 日　　6 月 25 日

病

(2) 例 Example

坐、飞机
A：他坐了多长时间（的）飞机？
B：他坐了一个半小时（的）飞机。

❶

看、报纸*

❷

上、大学

❸

打、电话

(3)

聊
她们聊了半天了。

当、老师

结婚

2. 副词"就"与"才" The adverbs "就" and "才"

"就"一般表示事情发生得早、快或进行得顺利；"才"一般表示事情发生得晚、慢或进行得不顺利。例如：

"就" usually underlines that things happen early or quickly, or that everything goes as one expected. "才" usually underlines that things happen late or slowly, or that there is a problem, e.g.

① 我七点就出来了。

② 八点上课，珍妮七点四十就来了，西蒙八点十分才来。

③ 因为路上堵车了，所以汽车开了五十分钟才到。

④ 坐飞机去大同一个小时就能到，坐火车十个小时才能到。

• 练习 EXERCISES •

1. 用"就"或"才"填空 Fill in the blanks using "就" or "才"

❶ 他 5 岁 _____ 上小学了，我 8 岁 _____ 上小学。

❷ 小雨 9 点半 _____ 起床，爷爷 5 点 _____ 起床了。

❸ 我妹妹 23 岁 _____ 结婚了，我哥哥 35 岁 _____ 结婚。

2. 在"就"或"才"前填上数字 Fill in the blanks before "就" or "才" with proper numerals

❶ 昨天晚上，我 _____ 点就睡觉了，我同屋 _____ 点才睡。

❷ 他骑自行车骑了 _____ 分钟就到了，我坐了 _____ 分钟汽车才到。

❸ 大哥的女儿 _____ 岁就会说话*了，二哥的女儿 _____ 岁才会说话。

3. "虽然……但是……" <mark>The construction "虽然……但是……"</mark>

　　"虽然……但是……"表示转折的关系。"虽然"可以放在第一个分句的主语前或后，"但是"必须放在第二个分句的最前边。例如：

　　"虽然……但是……", meaning "although...", is used to link two contradictory statements. "虽然" may go either before or after the subject of the first clause, while "但是" is always placed at the beginning of the second clause, e.g.

① 虽然学习很紧张，但是我过得很愉快。

② 我虽然会游泳，但是游得不怎么样。

• 练习 **EXERCISES** •

完成句子 Complete the sentences with the words in the brackets

❶ ＿＿＿＿＿＿＿＿＿＿，但是说得不太流利 *。（虽然）

❷ 虽然这个房间有空调，＿＿＿＿＿＿＿＿＿＿。（但是）

❸ 图书馆里＿＿＿＿＿＿＿＿＿，但是非常安静 *。（虽然）

❹ 虽然他们是邻居 *，＿＿＿＿＿＿＿＿＿。（但是）

4. "因为……所以……" The construction "因为……所以……"

"因为……所以……" 表示因果关系。"因为" 分句表示原因，"所以" 分句表示结果。有时候也可以只用 "因为" 或只用 "所以"。例如：

In a "因为……所以……" sentence, the "因为" clause indicates the reason, and the "所以" clause indicates the result. Sometimes one of the two conjunctions may be omitted, e.g.

① 因为路上堵车了，所以汽车开了五十分钟才到。

② 外边下雨了，所以我们不去商店了。

③ 因为身体不好，这几天他正在家里休息。

• 练习 **EXERCISES** •

完成句子 Complete the sentences with the words in the brackets

❶ 因为他学习特别努力，＿＿＿＿＿＿＿＿。（所以）

❷ 因为他最近身体不太好，＿＿＿＿＿＿＿。（所以）

❸ ＿＿＿＿＿＿＿＿＿，所以他不能睡懒觉了。（因为）

❹ ＿＿＿＿＿＿＿＿＿，所以顾客特别多。（因为）

综合练习 COMPREHENSIVE EXERCISES

▶ 一、根据所给材料组织会话 Make dialogues according to the given information

1.

> A 小姐是中国学生。她从去年（qùnián, last year）开始（kāishǐ, to begin）学英语（Yīngyǔ, English），现在她说得挺不错的。她还要再学两年。她觉得学英语虽然不太容易（róngyì, easy），但是很有意思。
>
> B 小姐是美国学生。她学了两年汉语了。她说得特别流利。她就要回国了。

会话情景 Situation：A 小姐和 B 小姐在一个晚会（wǎnhuì, evening party）上认识了。

会话角色 Roles：A 小姐和 B 小姐。

会话题目 Topic：你学汉语 / 英语学了多长时间了？

2.

> A 小姐和 B 先生打算一起看电影。电影 8：00 开始，他们应该 7：30 在电影院门口见面，可是 B 先生差五分八点才到。A 小姐很生气（shēng qì, to be angry）。

会话角色 Roles：A 小姐和 B 先生。

会话题目 Topic：你怎么现在才到？

▶ 二、看图说话 Give a talk according to the pictures

> 王老师和他爱人结婚……年了，……

三、听后选择正确答案　Listen to the recording and then choose the correct answers

1 小雨工作＿＿＿＿＿＿＿＿＿。

　A. 半年了　　　　　　B. 半个多月了　　　　　C. 快半个月了

❷ 他一天工作_____。

　　A. 8 个小时　　　　　　B. 7 个小时　　　　　C. 9 个小时

❸ 他每周工作_____。

　　A. 2 天　　　　　　　　B. 3 天　　　　　　　C. 5 天

❹ 他每天_____去公司。

　　A. 骑自行车　　　　　　B. 坐公共汽车　　　　C. 坐出租车

❺ 从他家到公司_____就到了。

　　A. 坐车 15 分钟

　　B. 走路 15 分钟

　　C. 骑车 15 分钟

❻ 工作的时候，小雨觉得_____。

　　A. 太紧张了，没有意思

　　B. 不紧张，很舒服

　　C. 紧张，不过很愉快

❼ 现在小雨不能_____。

　　A. 睡觉了　　　　　　　B. 睡懒觉了　　　　　C. 起床了

❽ 他每天_____就得起床了。

　　A. 8 点多　　　　　　　B. 9 点　　　　　　　C. 6 点

生词 NEW WORDS

1	过	guo	助	*a particle indicating the completion of an action*
2	自己	zìjǐ	代	oneself
3	真	zhēn	副	really
4	行	xíng	形	capable, competent
5	次	cì	量	times
6	第	dì	头	*prefix for ordinal numbers*
7	除了……以外	chúle……yǐwài		besides

8	些	xiē	量	some
9	有名	yǒumíng	形	famous
10	风味	fēngwèi	名	local flavor
11	小吃	xiǎochī	名	snack
12	差不多	chàbuduō	副	almost
13	光盘	guāngpán	名	disc
14	好听	hǎotīng	形	pleasant to hear
15	可	kě	副	very
16	好多	hǎoduō	数	many
17	遍	biàn	量	times
18	简单	jiǎndān	形	simple, (used in the negative) ordinary
19	从来	cónglái	副	always, at all times
20	英语*	Yīngyǔ	名	English
21	假*	jiǎ	形	fake, sham
22	去年*	qùnián	名	last year
23	毕业*	bì yè		to graduate
24	出差*	chū chāi		to be on a business trip
25	封*	fēng	量	*a measure word for letters*
26	乒乓球*	pīngpāngqiú	名	table tennis
27	排球*	páiqiú	名	volleyball

● 专名 PROPER NOUNS

1	田中	Tiánzhōng	*surname of a Japanese person*
2	大连*	Dàlián	*name of a Chinese city*
3	美国*	Měiguó	U.S.A.

课文 TEXTS

1

Zhíměi： Nǐ qùguo Xiāng Shān ma?
直美： 你 去过 香 山 吗?

Tiánzhōng： Qùguo.
田中： 去过。

Zhíměi： Nǐ shì shénme shíhou qù de?
直美： 你 是 什么 时候 去 的?

Tiánzhōng： Wǒ shì shàng ge yuè qù de.
田中： 我 是 上 个 月 去 的。

Zhíměi： Nǐ gēn shéi yìqǐ qù de?
直美： 你 跟 谁 一起 去 的?

Tiánzhōng： Wǒ zìjǐ qù de.
田中： 我 自己 去 的。

Zhíměi： Nǐ shì zuò chūzūchē qù de ba?
直美： 你 是 坐 出租车 去 的 吧?

Tiánzhōng： Wǒ bú shì zuò chūzūchē qù de, wǒ shì qí chē qù de.
田中： 我 不 是 坐 出租车 去 的，我 是 骑车 去 的。

Zhíměi： Shì ma? Nǐ zhēn xíng!
直美： 是 吗? [1] 你 真 行!

2

Tiánzhōng： Lái Běijīng yǐhòu, nǐ chīguo kǎoyā méiyǒu?
田中： 来 北京 以后，你 吃过 烤鸭 没有?

Bǎoluó： Chīguo liǎng cì.
保罗： 吃过 两 次。

Tiánzhōng： Nǐ zài nǎr chī de?
田中： 你 在 哪儿 吃 的?

Bǎoluó： Dì yī cì shì zài Quánjùdé chī de, dì èr cì shì zài xuéxiào
保罗： 第 一 次 是 在 全聚德 吃 的，第 二 次 是 在 学校

fùjìn de fànguǎn chī de.
附近 的 饭馆 吃 的。

Tiánzhōng: Chúle kǎoyā yǐwài, nǐ hái chīguo nǎ xiē hǎochī de dōngxi?
田中: 除了 烤鸭 以外, 你 还 吃过 哪些 好吃 的 东西?

Bǎoluó: Běijīng yǒumíng de fēngwèi cài hé xiǎochī wǒ chàbuduō dōu
保罗: 北京 有名 的 风味 菜和 小吃 我 差不多 都

chīguo.
吃过。

Tiánzhōng: Zhēn de ma? Wǒ zhēn xiànmù nǐ.
田中: 真 的 吗?[1] 我 真 羡慕 你。

3 Yīngnán: Nǐ tīngguo zhè zhāng guāngpán ma?
英男: 你 听过 这 张 光盘 吗?

Bǎoluó: Méi tīngguo. Hǎotīng bu hǎotīng?
保罗: 没 听过。 好听 不 好听?

Yīngnán: Kě hǎotīng le! Wǒ tīngguo hǎoduō biàn, chàbuduō dōu huì
英男: 可 好听 了![2] 我 听过 好多 遍, 差不多 都 会

chàng le.
唱 了。

Bǎoluó: Nǐ zhēn bù jiǎndān! Wǒ hái cónglái méi xuéguo Hànyǔ gē ne.
保罗: 你 真 不 简单![3] 我 还 从来 没 学过 汉语 歌 呢。

注释 NOTES

1 是吗? / 真的吗?

"是吗" "真的吗" 表示对某事原来不知道, 觉得有点儿意外或不太相信。

"是吗" and "真的吗" are used to express that you didn't know something before and now you discover it. You feel surprised or find it hard to believe.

2 可好听了!

"可……了"用来强调程度高。

"可……了" is used to emphasize that degree is high.

3 你真不简单!

"简单"在表示"平凡"之义时,多用于否定式。

When "简单" means "ordinary", the sentence is usually made negative.

语法 GRAMMAR

1. 过
2. 是……的
3. 遍、次、一下儿
4. 除了……以外

1. 动态助词"过" Aspect particle "过"

动态助词"过"表示某种动作曾在过去发生,重点说明有过这种经历。例如:

The aspect particle "过" denotes that some action took place in the past. It is used to emphasize experience, e.g.

① 来北京以后,我去过香山和颐和园。

② 北京有名的风味菜和小吃我差不多都吃过。

否定式用"没(有)……过"表示。例如:

The negative form of "过" is "没(有)……过", e.g.

③ 我还从来没学过汉语歌呢。

④ 来中国以前，我没学过汉语。

正反疑问句的形式是"……过没有"。例如：

The affirmative-negative question with "过" is "……过没有", e.g.

⑤ 来北京以后，你吃过烤鸭没有？

⑥ 你见过保罗的女朋友没有？

• 练习 EXERCISES •

根据实际情况回答问题 Answer the questions according to the actual situation

❶ 来中国以前，你学过汉语吗？

❷ 来北京以后，你坐过公共汽车吗？

❸ 你学过英语 * 没有？

❹ 你参加过足球比赛没有？

❺ 你去过上海没有？

❻ 你说过假 * 话没有？

2. "是……的" The construction "是……的"

"是……的"句可用于强调说明已经发生的动作的时间、地点、方式等。"是"放在要强调说明的部分前边，"的"放在句尾。例如：

"是……的" is used in a sentence to emphasize the time, place or manner of an action which took place in the past. "是" is placed before the word group that is emphasized and "的" always comes at the end of the sentence, e.g.

① 我是上个月去的。

② 第一次是在全聚德吃的，第二次是在学校附近的饭馆吃的。

③ 我不是坐车去的，我是骑车去的。

如果动词后有宾语，宾语又是名词，"的"也可以放在宾语前。例如：
If the verb has an object constituted by a noun, "的" may be placed before the object, e.g.

④ 我是上个月去的香山。

⑤ 我和朋友是在全聚德吃的烤鸭。

• 练习 EXERCISES •

看图进行替换练习 Do substitution drills according to the pictures

(1)　例 Example

A：来北京以后，你吃过日本菜没有？
B：吃过。
A：你是在哪儿吃的？
B：我是在一家日本饭馆吃的。

❶ 百货大楼

买、衣服

❷ 大明电影院

看、中国电影

(2)

例 Example

A：昨天你去哪儿了？
B：我去颐和园了。
A：你是跟谁一起去的？
B：我是跟我女朋友一起去的。
A：你们是怎么去的？
B：我们骑自行车去的。

去、大同

去、大连 *

(3)

例 Example

A：你弟弟结婚了没有？
B：他已经结婚了。
A：他是什么时候结婚的？
B：他是去年 * 结婚的。

妹妹、大学毕业 *

西蒙、回国

(4)   例 Example

A: 你去过<u>上海</u>吗?
B: 去过。
A: 你是去旅行的吗?
B: 不是,我是去<u>出差</u> * 的。

韩国、工作

美国 *、学习

3. 动量补语 Complement of frequency

动量词和数词结合，可以放在动词后边作动量补语，表示动作的次数。常用的有"遍""次""下"等。例如：

Verbal measure word often goes with a numeral which is used after the verb as the complement of frequency, to show the frequency of an action. "遍"，"次"，"下" are commonly used, e.g.

① 我们吃过两次烤鸭。

② 那首歌我听过好多遍。

"次"和"遍"的用法一样，但"遍"强调一个动作从开始到结束的整个过程。

"次" and "遍" can be used in the same way, but "遍" emphasizes the whole process of an action from beginning to end.

动词的宾语如果是名词，动量补语放在宾语之前；如果是代词，动量补语一般放在宾语之后。例如：

When the object is constituted by a noun, the complement of frequency should be placed before the object. When it is constituted by a pronoun, the complement often comes after the object, e.g.

③ 我去过三次香山。

④ 今天我找了你三次。

"一下儿"也是动量补语，除了表示动作的次数外，也可以表示动作经历的时间短，并带有轻松随便的意味。例如：

Apart from showing explicit frequency of an action, the complement "一下儿" is also used to indicate an action done in a casual way or lasting for only a little while, e.g.

⑤ 请介绍一下儿你的情况，好吗？

⑥ 一共一百五，请数一下儿。

• 练习　EXERCISES •

用 "遍" 或 "次" 填空　Fill in the blanks using "遍" or "次"

1 我去过三四_____颐和园。

2 工作以后，小雨只睡过_____懒觉。

3 这本书我看过两_____。

4 这首歌我听过好多_____了。

5 那封 * 信他已经看了三_____了。

6 这个星期他给女朋友打过七_____电话。

4. "除了……以外"　The construction "除了……以外"

A. 表示在什么之外，还有别的。后边常有 "还" "也" 等呼应。例如：

It means " in addition to" or " besides", and is often followed by adverbs such as "还" or "也", etc., e.g.

> ① 除了英语以外，我也会说法语和德语。
>
> ② 除了烤鸭以外，你还吃过什么好吃的？

B. 表示排除，所说的不包括在内。后边常有 "都" 等呼应。例如：

It also means "except" and is often followed by adverbs such as "都", etc. , e.g.

> ③ 除了田中以外，别的同学都来了。
>
> ④ 除了西蒙以外，我们都不会说法语。

• 练习 EXERCISES •

看图，用"除了……以外"完成会话　Complete the dialogues according to the pictures
using "除了……以外"

A：除了香山以外，他还去过哪儿？

B：_____。

A：除了打乒乓球＊以外，他还喜欢
　　什么运动？

B：_____。
（排球＊）

A：除了书以外，桌子上还有什么？

B：_____。

A：今天同学们都来了吗？

B：_____。

综合练习 COMPREHENSIVE EXERCISES

一、替换练习 Substitution drills

① A：我<u>不是坐出租车去的</u>，我<u>是骑车去的</u>。

　　B：是吗？你真行！

② A：<u>北京有名的风味菜和小吃</u>我差不多都<u>吃</u>过。

　　B：真的吗？我真羡慕你。

③ A：<u>这首歌</u>我差不多都<u>会唱</u>了。

　　B：你真不简单！我还从来没<u>学</u>过<u>汉语歌</u>呢。

二、根据所给材料，用本课所学词语或句式组织会话或进行介绍 Make a dialogue or introduction according to the given information using the words and construction in this lesson

1.

简历（jiǎnlì, resume）			
姓名（xìngmíng, name）	林歌	性别（xìngbié, gender）	女
1985.7—1989.7	在北京大学学习日语		
1989.12—1992.7	在北京语言大学教日语		
1992.10—1994.10	跟爱人一起在日本工作		
1994.10	从日本回国		
1994.12—现在	在"汉星"旅行社（lǚxíngshè, travel agency）当导游		
特长（tècháng, speciality）	日语口语		
爱好（àihào, hobby）	唱歌、运动		

1 会话 Dialogue

会话情景 Situation：林歌去一家公司应聘。

会话角色 Roles：林歌和这家公司的经理。

2 介绍 Introduction：林歌向经理介绍自己。

2.

> 保罗 1976 年出生（chūshēng, to be born），1999 年大学毕业。毕业以后，他在一家汽车公司当职员。2005 年结婚，2006 年跟爱人一起来中国旅行。他喜欢踢足球，还喜欢喝啤酒、打网球。在大学的时候，他是大学足球队的队员（duìyuán, team member）。

介绍 Introduction：保罗向同学们介绍自己。

三、听后回答问题并复述　Listen to the recording, then answer the questions and retell what you've heard

生词 New Words

汤姆	Tāngmǔ	专名	Tom
脸	liǎn	名	face

问题 Questions

1 汤姆今天早上吃的是什么?

2 老师是怎么知道的?

3 巧克力是什么时候吃的?

LESSON 22   THE DOOR IS OPEN

生词 NEW WORDS

1	开	kāi	动	to open, to switch on
2	着	zhe	助	*a particle indicating an action in progress*
3	书架	shūjià	名	bookshelf
4	放	fàng	动	to put
5	椅子	yǐzi	名	chair
6	躺	tǎng	动	to lie
7	地	de	助	*used after an adjective, a noun or a phrase to form an adverbial adjunct before the verb*
8	立	lì	动	to stand
9	排	pái	量	row

10	货架	huòjià	名	goods shelves
11	整齐	zhěngqí	形	in good order
12	摆	bǎi	动	to place, to display
13	各	gè	代	every, various
14	挂	guà	动	to hang
15	牌子	páizi	名	board
16	勿	wù	副	not (indicating prohibition)
17	书房	shūfáng	名	study
18	沙发	shāfā	名	sofa
19	报	bào	名	newspaper
20	客厅	kètīng	名	parlor, drawing room
21	猫	māo	名	cat
22	窗台	chuāngtái	名	windowsill
23	趴	pā	动	to lie on one's stomach
24	窗户*	chuānghu	名	window
25	站*	zhàn	动	to stand
26	戴*	dài	动	to wear (hat, glasses, watch, etc.)
27	穿*	chuān	动	to wear, to put on (clothes)
28	抱*	bào	动	to hold in the arms
29	拿*	ná	动	to take
30	背*	bēi	动	to carry on the back
31	墙*	qiáng	名	wall
32	地图*	dìtú	名	map
33	哭*	kū	动	to cry
34	生气*	shēng qì		to be angry
35	认真*	rènzhēn	形	conscientious

1

Zhè shì Yīngnán hé Bǎoluó de fángjiān， mén kāizhe， diànshì yě kāizhe. Shū
这 是 英男 和 保罗 的 房间， 门 开着， 电视 也 开着。书

hé cídiǎn zài shūjià shang fàngzhe, Bǎoluó zài yǐzi shang zuòzhe, Yīngnán zài
和 词典 在 书架 上 放着， 保罗 在 椅子 上 坐着， 英男 在

chuáng shang tǎngzhe, tāmen zhèngzài jǐnzhāng de kànzhe diànshì li de zúqiúsài.
床 上 躺着， 他们 正在 紧张 地看着 电视里的足球赛。

2

Zhè shì yì jiā chāoshì. Piàopiaoliāngliāng de dàtīng li lìzhe yì pái yì pái de
这 是 一家 超市。 漂漂亮亮 的 大厅 里立着 一排 一排的

huòjià, huòjià shang zhěngzhěngqíqí de bǎizhe gè zhǒng chī de hé yòng de dōngxi.
货架，货架 上 整整齐齐 地 摆着各 种 吃的和 用 的东西。

Ménkǒu guàzhe yí ge dàdà de páizi, shàngbian xiězhe "qǐng wù xī yān".
门口 挂着 一个大大的 牌子，上边 写着"请 勿吸烟"。

3

Zhè shì Xiǎoyǔ de jiā. Shūfáng li hěn ānjìng. Bàba zhèngzài shāfā shang
这 是 小雨的家。书房 里很安静。爸爸 正在 沙发 上

zuòzhe kàn bào, māma zài kètīng li gēn línjū hēzhe kāfēi liáo tiānr, Xiǎoyǔ zài
坐着 看 报，妈妈 在 客厅里 跟 邻居 喝着 咖啡 聊天儿，小雨 在

zìjǐ de fángjiān li tīngzhe yīnyuè kàn shū. Tāmen jiā de xiǎo māo ne? Zài
自己的 房间 里 听着 音乐 看 书。他们家的 小 猫 呢? 在

chuāngtái shang pāzhe shuì jiào ne.
窗台 上 趴着 睡 觉 呢。

语法 GRAMMAR

1. 着
2. 地
3. 好好儿、整整齐齐

1. 动作的持续 The durative aspect of an action

A. 动词后加上动态助词"着",表示动作或状态的持续。例如:

The aspect particle "着", when occurring after a verb, indicates the continuation of an action or a state, e.g.

① 门开着,电视机也开着。

② 英男在床上躺着。

③ 门口挂着一个牌子。

否定形式是"没(有)……着"。例如:

The negative form is "没(有)……着", e.g.

④ 保罗没躺着,他坐着呢。

正反疑问句形式是"……着没有"。例如:

In an affirmative-negative interrogative sentence, "……着没有" is used, e.g.

⑤ 门开着没有?

B. 动词带动态助词"着",也表示动作的方式。例如:

The verb with the aspect particle "着" indicates the manner of an action, e.g.

⑥ 小猫在窗台上趴着睡觉呢。

⑦ 妈妈在客厅里跟邻居喝着咖啡聊天儿。

• 练习 EXERCISES •

看图，用"着"完成句子　Complete the sentences according to the pictures using "着"

(1)　例 Example

<u>门开着</u>。

窗户＊_____。

台灯_____。

(2)　例 Example

<u>老师站＊着</u>。

学生们_____。

爷爷_____。

(3) 例 Example

他戴*着帽子。
（戴）

她_____。
（穿*）

这个人_____。
（戴）

(4) 例 Example

她抱*着孩子。
（抱）

他_____。
（拿*）

这个学生_____。
（背*）

(5)

例 Example

桌子上放着一本词典。　墙*上_____。　窗台上_____。
　　（放）　　　　　（挂、地图*）　　　　（摆）

(6)

例 Example

这个孩子哭*着说："我的　　他_____。
小猫病了。"（哭、说）　　　（走、去）

老师_____。　　　他喜欢_____。
（坐、休息）　　　　（趴、看）

2. 结构助词"地" The structural particle "地"

双音节形容词作状语修饰动词时，中间有时加结构助词"地"。如果作状语的形容词前又有状语，"地"一般不能省略。例如：

When a disyllabic adjective modifies a verb adverbially, it is generally followed by a structural particle "地". If the adjective as an adverbial adjunct is preceded by another adjunct, generally the "地" can't be omitted, e.g.

① 他们正在紧张地看着电视里的足球赛。

② 他非常努力地工作。

形容词重叠后，意思相当于形容词前加上了"很""非常"，助词"地"一般也不能省略。例如：

If the adjective is duplicated, it equals to putting "很" or "非常" before the adjective, so the particle "地" can't be omitted either, e.g.

③ 货架上整整齐齐地摆着各种吃的和用的。

• 练习 EXERCISES •

组词成句 Form sentences with the given words

❶ 非常 他 学习 地 努力 ⇨ --------------------------------

❷ 她 说 生气* 地 ⇨ --------------------------------

❸ 他 汉字 认认真真* 写 地 每天 ⇨ --------------------------------

❹ 孩子们 地 高高兴兴 家 回 了 ⇨ --------------------------------

3. 形容词重叠 Reduplication of adjectives

一部分形容词可以重叠，重叠后一般表示性质、状态的程度加深。单音节形容词重叠，口语中第二个音节常常变为第一声并儿化。双音节形容词重叠的方式是"AABB"，第二个音节常读轻声。

Some adjectives may be reduplicated to indicate a greater degree of the attribute or state. The second syllable of a reduplicated monosyllabic adjective is often pronounced in the first tone, and becomes retroflexed. In the case of disyllabic adjectives, they are reduplicated in the form of AABB, and the second syllable is usually pronounced in the neutral tone.

形容词重叠后作状语，单音节的重叠形式后可加可不加助词"地"，双音节的重叠形式后一般要加助词"地"。形容词重叠后作定语或谓语，后边要加"的"。例如：

The adjectives which are reduplicated function as adverbial adjuncts. A reduplicated monosyllabic adjective is, or not, followed by the particle "地". But a reduplicated disyllabic adjective must be followed by the particle "地". When used as attributive modifiers or predicates, reduplicated adjectives are usually followed by the particle "的", e.g.

① 每天爷爷都早早儿地起床。

② 你应该好好儿休息一会儿。

③ 漂漂亮亮的大厅里立着一排一排的货架。

④ 她的头发长长的。

· 练习 EXERCISES ·

用形容词重叠形式改说下面的句子　Change the sentences by repeating the adjectives in them

❶ 他拿着一个特别大的杯子。　⇨ _____

❷ 桌子上放着一本非常厚的书。　⇨ _____

❸ 他非常认真地回答老师的问题。⇨ _____

❹ 今天他很早就起床了。　⇨ _____

❺ 她个子很高，头发很长。　⇨ _____

综合练习 COMPREHENSIVE EXERCISES

一、看图组织会话 Make a dialogue according to the picture

会话情景 Situation：

妈妈带着亮亮去逛商店，可是亮亮丢（diū, to be lost）了，妈妈请警察（jǐngchá, policeman）帮助她。

会话角色 Roles：亮亮的妈妈和警察。

二、看图说话（注意"着"的用法） Give a talk paying attention to the usage of "着"

① 这是我们的教室，……

② 现在是休息时间，……

三、听后将下列物品的编号填入图中 Listen to the recording and write down the number of each article in the picture

① 书包　② 鞋

③ 台灯　④ 照片

⑤ 电话　⑥ 花

第23课 你打错了

LESSON 23   YOU'VE MADE A WRONG CALL

是图书馆吗?

不是，这里是医院。

生词 NEW WORDS

1	喂	wéi/wèi	叹	hello
2	错	cuò	形	wrong
3	对	duì	形	correct, right
4	一直	yìzhí	副	until
5	待在___	dāi	动	to stay
6	回来	huílai	动	to come back
7	取	qǔ	动	to take back, to fetch
8	一……就……	yī……jiù……		as soon as
9	完	wán	动	to finish
10	麻烦	máfan	动/形	to bother; troublesome
11	转告	zhuǎngào	动	to pass on (word), to transmit
12	票	piào	名	ticket

13	清楚	qīngchu	形	clear
14	看见	kànjiàn	动	to see
15	急	jí	形	urgent
16	叫	jiào	动	to call, to greet
17	听见	tīngjiàn	动	to hear
18	记	jì	动	to remember, to bear in mind
19	发	fā	动	to send
20	短信	duǎnxìn	名	short message
21	作业*	zuòyè	名	homework
22	修*	xiū	动	to repair
23	手表*	shǒubiǎo	名	watch
24	接*	jiē	动	to meet, to catch
25	生词*	shēngcí	名	new word
26	开始*	kāishǐ	动	to start
27	讲*	jiǎng	动	to explain, to make clear
28	懂*	dǒng	动	to understand
29	停*	tíng	动	to stop

课文 TEXTS

1　Xiǎoyè：Wéi, shì liúxuéshēng sùshè ma?
　　小叶：喂，是 留学生 宿舍 吗？

Yí wèi xiǎojiě：Nǐ dǎcuò le.
一位 小姐：你 打错 了。

- -

Xiǎoyè：Wéi, wǒ zhǎo Lìli.
　　小叶：喂，我 找 莉莉。

莉莉: Wǒ jiù shì. Nǐ shì Xiǎoyè ba?
莉莉: 我 就 是。你 是 小叶 吧?

小叶: Cāiduì le. Zuótiān nǐ qù nǎr le? Wǒ zhǎole nǐ yì tiān yě méi
小叶: 猜对 了。昨天 你 去 哪儿 了? 我 找了 你 一 天 也 没

zhǎodào.
找到。

莉莉: Wǒ qù péngyou nàr le, yìzhí dāidào shí diǎn cái huílai. Nǐ zhǎo
莉莉: 我 去 朋友 那儿 了,一直 待到 十 点 才 回来。你 找

wǒ yǒu shénme shì?
我 有 什么 事?

小叶: Nǐ yào de shū wǒ gěi nǐ zhǔnbèi hǎo le, nǐ shénme shíhou lái qǔ?
小叶: 你 要 的 书 我 给 你 准备 好 了,你 什么 时候 来取?

莉莉: Tài hǎo le!   Wǒ yì chīwán wǎnfàn jiù qù.
莉莉: 太 好 了! [1] 我 一 吃完 晚饭 就 去。

2 英男: Qǐngwèn, Tiánzhōng zài ma?
英男: 请问,   田中 在 吗?

同屋: Tā bú zài. Nín shì nǎ wèi?
同屋: 他 不 在。您 是 哪 位?

英男: Wǒ shì Lǐ Yīngnán, máfan nín zhuǎngào tā yí jiàn shì, xíng ma?
英男: 我 是 李 英男, 麻烦 您 转告 他 一 件 事 [2],行 吗?

同屋: Méi wèntí,   nǐ shuō ba.
同屋: 没 问题 [3],你 说 吧。

英男: Qù Dàtóng de huǒchēpiào mǎidào le, xīngqīwǔ wǎnshang jiǔ diǎn
英男: 去 大同 的 火车票 买到 了,星期五 晚上 九 点

bàn de.
半 的。

同屋: Duìbuqǐ, wǒ méi tīng qīngchu, qǐng zài shuō yí biàn, hǎo ma?
同屋: 对不起,我 没 听 清楚, 请 再 说 一 遍, 好 吗?

3

小雨： Nǐ kànjiàn Bǎoluó le méiyǒu? Wǒ yǒu jí shì yào zhǎo tā.
小雨： 你 看见 保罗 了没有？ 我 有 急事 要 找 他。

英男： Gāngcái wǒ kànjiàn tā wǎng nán mén nàbian zǒu le.
英男： 刚才 我 看见 他 往 南 门 那边 走了。

小雨： Nǐ zhīdào tā qù nǎr le ma?
小雨： 你 知道 他 去 哪儿 了吗？

英男： Bù zhīdào. Tā méi kànjiàn wǒ. Wǒ jiào tā, tā yě méi tīngjiàn.
英男： 不 知道。他 没 看见 我。我 叫 他，他 也 没 听见。

小雨： Nǐ jìzhù tā de shǒujīhào le ma? Wǒ děi gěi tā dǎ ge diànhuà.
小雨： 你 记住 他 的 手机号 了吗？我 得 给 他 打 个 电话。

- -

小雨： Tā guān jī le.
小雨： 他 关 机 了。

英男： Nà nǐ jiù gěi tā fā ge duǎnxìn. Tā yì kāi jī jiù kàndào le.
英男： 那你 就 给 他 发 个 短信。他 一 开 机 就 看到 了。

注释　NOTES

1 **太好了！**

"太……了" 表示程度高。

"太……了" indicates that the degree is high.

2 **麻烦您转告他一件事。**

"麻烦您……" 是请求别人帮助时的常用句式。

"麻烦您……" is a common way to ask people for some help.

3 **没问题。**

用来回答别人的疑问或请求，表示可以做到。

It is used to answer people's question or inquiry to express that you can do it.

语法 GRAMMAR

```
1. 看见、准备好
2. 买到、回到、找到
3. 一……就……
4. 记住、停住、站住
```

1. 结果补语 Complement of result

说明动作结果的补语，叫结果补语。结果补语一般由动词或形容词充任。结果补语跟动词结合紧密，中间不能插入其他成分。例如：

A complement of result expressed either by a verb or an adjective, indicates the result of an action. A verb and its complement of result are closely linked to each other and don't allow the insertion of another element between them, e.g.

① 你要的书我给你准备好了。

② 我已经做完饭了。

③ 我看见小雨往南门那边走了。

因为有了结果的动作一般总是完成了的，所以带结果补语的句子的否定式一般也用"没（有）"。正反疑问句形式是"……没有"。例如：

Generally speaking, a verb followed by a complement of result indicates that the action is finished. Therefore "没（有）" is used to make this type of structure negative. The form of affirmative-negative question with a complement of result is made by using "……没有", e.g.

④ A：你看见保罗了没有？

　　B：没看见。

⑤ 对不起，我没听清楚，请再说一遍。

• 练习 EXERCISES •

看图，用所给词语造句　Make sentences according to the pictures using the given words

(1) 例 Example

洗、衣服　　　干净

<u>衣服洗干净了</u>。

❶

擦、黑板　　　干净

----------------------。

❷

打扫、房间　　　干净

----------------------。

(2)　例 Example

做、作业 *　　　　完　　　　<u>做完作业了</u>。

❶

吃、饭　　　　完　　　　- - - - - - - - - - - - - ○

❷

卖、苹果　　　　完　　　　- - - - - - - - - - - - - ○

（3）例 Example

打错电话了。

打、电话　　　　错

❶

坐、车　　　　错

—————————————。

❷

拿、书包　　　　错

—————————————。

(4)　例 Example

修 *、自行车　　　好

修好自行车了。

❶

做、饭　　　好

❷

穿、鞋　　　好

2. "到" 作结果补语　"到" used as a complement of result

动词 "到" 作结果补语，常表示动作达到某一点或持续到某一时间。例如：

When functioning as a complement of result , "到" indicates the continuation of an action up to a certain point or a certain time, e.g.

① 我回到家就给你打电话。

② 我们已经学到二十三课了。

③ 我去朋友那儿了，一直待到十点才回来。

结果补语 "到" 还表示动作达到了目的。例如：

The complement of result "到" also indicates the successful conclusion of an action, e.g.

④ 去大同的火车票买到了。

⑤ 昨天你去哪儿了？我找了你一天也没找到。

• 练习 EXERCISES •

1. 用所给词语完成句子 Complete the sentences with the given words

❶ 他最近挺忙的，＿＿＿＿＿＿＿＿。（工作到）

❷ 我要在北京＿＿＿＿＿＿＿。（住到）

❸ 从你们学校＿＿＿＿＿＿要多长时间？（骑到）

2. 看图说话　Give a talk according to the pictures

(1) 例 Example

买　电影票　　　他买到电影票了。

❶

找　手表*　　　＿＿＿＿＿＿＿＿＿。

❷

接*　朋友　　　＿＿＿＿＿＿＿＿＿。

③

看　长城

_____。

3. "一……就……" The construction "一……就……"

"一……就……"表示两件事紧接着发生。例如：

"一……就……" is used to connect two things that happen successively, e.g.

① 我一吃完晚饭就去。

② 他一说完，大家就都笑了。

有时候前一分句表示条件，后一分句表示结果。例如：

Sometimes the first clause gives the condition and the second one gives the result, e.g.

③ 一到夏天，我们就去游泳。

④ 直美一回答问题就紧张。

• 练习 EXERCISES •

用"一……就……"格式完成句子　Complete the sentences with the construction "一……就……"

(1)　例 Example　他一毕业就开始*找工作。

❶ 我一下课 _____。

❷ 我们一考完试 _____ 。

❸ _____ 就看电视。

(2) | 例 Example | 老师一讲*，我就懂*了。

❶ 天一晴, _____ 。

❷ 秋天一到, _____ 。

❸ _____ , 我们就出发。

4. "住" 作结果补语　"住" used as a complement of result

"住" 作结果补语常表示通过动作使某事物牢固地停留在一定的位置。例如：

The complement of result "住" often indicates that something is fixed in a certain position as a result of a previous action, e.g.

> ① 你记住他的手机号了吗？
>
> ② 汽车停*住了。

• 练习 EXERCISES •

看图回答问题　Answer the questions according to the pictures

(1) | 例 Example |

接
A: 接住了没有？
B: 接住了。

站

A：她站住了吗？

B：_____。

记

A：他记住生词＊了
　　没有？

B：_____。

停

A：汽车停住了没有？

B：_____。

综合练习　COMPREHENSIVE EXERCISES

➡ 一、会话练习　Dialogue exercises

会话题目 Topic：打电话

❶ 喂，是……吗？

❷ 麻烦您转告……一下儿，好吗？

➡ 二、将下边的对话改为叙述体　Change the following dialogue into the narrative style

先生：喂，是新新商店吗？

小姐：你打错了。

先生：我在电视上看见你们那儿卖的一件皮大衣（pí dàyī，leather overcoat），我想给我爱人买一件……

小姐：先生，你没听见吗？你打错了。

先生：什么？我没听清楚，请您再说一遍，好吗？

小姐：好，请你听清楚：你打错了！

先生：啊？卖完了，真遗憾（yíhàn，what a pity）！

三、听后回答问题 Listen to the recording and then answer the questions

生词 New Words

饭店	fàndiàn	名	hotel, restaurant
客人	kèren	名	guest
内衣	nèiyī	名	underwear
又	yòu	副	again
原来	yuánlái	副	as a matter of fact, actually
女士	nǚshì	名	lady

问题 Questions

1 服务员去给客人打扫房间的时候看见了什么？

2 他对（duì，to）客人说了什么？

3 客人穿好衣服以后，他又对客人说了什么？

4 刚才他真看错了吗？

生词 NEW WORDS

1	出	chū	动	to go out
2	妨碍	fáng'ài	动	to hinder, to obstruct
3	屋	wū	名	room
4	那（么）	nà (me)	连	then
5	打扰	dǎrǎo	动	to bother
6	抱歉	bàoqiàn	形	sorry
7	让	ràng	动	to let　*ask a favor*
8	久	jiǔ	形	long
9	叫	jiào	动	to ask, to let
10	帮	bāng	动	to help
11	送	sòng	动	to send
12	不好意思	bù hǎoyìsi		to feel impolite (to do sth.)

13	又	yòu	副	again (Past)
14	帮忙	bāng máng		to help
15	别	bié	副	don't, had better not
16	上	shàng	动	to go up
17	要是	yàoshi	连	if
18	马上	mǎshàng	副	at once, immediately
19	下	xià	动	to go down
20	照相机*	zhàoxiàngjī	名	camera
21	照相*	zhào xiàng		to take a photo
22	盒*	hé	名	box
23	借*	jiè	动	to borrow, to lend
24	小说*	xiǎoshuō	名	novel
25	杂志*	zázhì	名	magazine
26	起来*	qǐlai	动	to rise up
27	跑*	pǎo	动	to run
28	预习*	yùxí	动	to prepare lessons before class

课文 TEXTS

1 （小叶去直美的宿舍）

Xiǎoyè：Lìli　ne?
小叶：莉莉 呢? [1]

Zhíměi：Tā chūqu le. Kěnéng yìhuǐr jiù huílai.
直美：她 出去 了。可能 一会儿 就 回来。

Xiǎoyè：Tā dào nǎr qù le?
小叶：她 到 哪儿 去 了?

直美：Zhímǐ: Dào shūdiàn qù le.　Nǐ jìnlai děng tā ba.
直美：到　书店　去了。你进来等　她吧。

小叶：Xiǎoyè: Nǐ zhèngzài xuéxí ba?　Bù fáng'ài nǐ ma?
小叶：你　正在　学习吧? 不　妨碍你吗?

直美：Zhímǐ: Méi guānxi,　kuài jìn wū lai ba.
直美：没　关系，　快　进屋来吧。

小叶：Xiǎoyè: Nà dǎrǎo nǐ le.
小叶：那打扰你了。

2　(莉莉回来后)

莉莉：Lìli: Zhēn bàoqiàn, ràng nǐ jiǔ děng le.[2]
莉莉：真　抱歉，　让你久等了[2]。

小叶：Xiǎoyè: Méi shénme.　Zhè shì nǐ jiào wǒ bāng nǐ mǎi de shū.
小叶：没　什么。[3] 这是你叫我帮　你买的书。

莉莉：Lìli: Hái máfan nǐ gěi wǒ sònglai, zhēn bù hǎoyìsi.[4]
莉莉：还　麻烦你给我送来，　真　不　好意思[4]。

小叶：Xiǎoyè: Nǐ tài kèqi le.
小叶：你太客气了。

莉莉：Lìli: Nǐ kàn, wǒ yòu mǎi huilai yìxiē shū.
莉莉：你看，我又买回来一些书。

小叶：Xiǎoyè: Zhème duō, nǐ dōu zhǔnbèi jì huí guó qu, shì ma?[5]
小叶：这么　多，你都　准备寄回国去,是吗?[5]

莉莉：Lìli: Shì a,　wǒ dǎsuàn míngtiān jiù jì huiqu.
莉莉：是啊，我打算　明天　就寄回去。

小叶：Xiǎoyè: Tǐng zhòng de ba? Yào wǒ bāng máng ma?
小叶：挺　重　的吧? 要我帮　忙　吗?

莉莉：Lìli: Búyòng le.
莉莉：不用了。

3

Zhíměi：Duìbuqǐ, dǎrǎo nǐmen yíxiàr.
直美：对不起，打扰 你们 一下儿。

Lìli：Bié kèqi, nǐ shuō ba.
莉莉：别 客气，你 说 吧。

Zhíměi：Wǒ xiànzài děi shàng lóu qu，yàoshi Tiánzhōng lái le, nǐ jiù ràng
直美：我 现在 得 上 楼 去，要是 田中 来 了，你 就 让

tā děng wǒ yíxiàr.
他 等 我 一下儿。

Lìli：Méi wèntí.
莉莉：没 问题。

Zhíměi：Gàosu tā wǒ mǎshàng jiù xiàlai. Duō xiè le.
直美：告诉 他 我 马上 就 下来。多 谢 了。[6]

注释 NOTES

1 莉莉呢？

"呢" 用在名词、代词或数量词后面，在没有上下文时，是问地点的。"莉莉呢" 意思是 "莉莉在哪儿"。例如：

Questions with "呢" placed after nouns, pronouns or quantifiers are used to ask where somebody or something is when there is no context. "莉莉呢" means "莉莉在哪儿", e.g.

① 手机呢？　　② 他呢？　　③ 那两个人呢？

2 让你久等了。

向等候较长时间的人表示歉意时的常用语。

It's a common way to apologize for having made people wait for a long time.

3 没什么。

意思相当于 "没关系"。

It means "It doesn't matter."

4 真不好意思。

因为给别人添了麻烦而感到抱歉时的常用语。

It is a common way to express one's apology for troubling other people.

5 你都准备寄回国去，是吗？

"……，是吗"或"……，是不是"常用来表达一种不太有把握的估计，向对方询问。回答的时候，如果对方估计得正确，就用"是啊"或"对"，否则就用"不"。

The expression "……是吗" or "……是不是" is a common way to inquire somebody about an uncertain estimation. As for the answer, if the estimation is correct, one should use "是啊" or "对", otherwise one should use "不".

6 多谢了。

"多谢了"是向别人表示感谢时的常用语。

"多谢了" is used to express thanks.

语法 GRAMMAR

1. 出来、进去
2. 请、叫、让
3. 要是……就……

1. 趋向补语 Complement of direction

表示动作趋向的补语叫趋向补语。趋向补语有两种：一种是在动词后加"来"或"去"，叫简单趋向补语；一种是在动词"上、下、进、出、回、过、起"等后加"来"或"去"，再作别的动词的补语，叫复合趋向补语。如果动作是朝着说话人（或所谈事物）进行的，就用

"来"；如果动作是朝着相反方向进行的，就用"去"。例如：

The complement which shows the direction of a movement is known as " the complement of direction". There are two types of complements: "来' and '去' are often used after verbs to form "simple complements of direction". When followed by the simple complement of direction "来" and "去", the verbs "上"，"下"，"进"，"出"，"回"，"过" or "起" may function as complement. The complements of this type are called " complex complements of direction". If the movement proceeds toward the speaker，"来" is used; if the movement is away from the speaker, "去" must be used, e.g,

① 莉莉出去了，可能一会儿就回来。（说话人在宿舍）

② 我现在得上楼去。（说话人在下边）

③ 我看见西蒙从外边走进来了。（说话人在里边）

带趋向补语的动词如果有宾语，有两种情况：

When a verb having a simple complement of direction is followed by an object, there are two types of sentences:

A. 宾语为一般事物时，可以放在"来"或"去"之前，也可以放在"来"或"去"之后。例如：

If the object is expressed by a word other than a noun or phrase of locality, it can be placed before "来" or "去", or after "来" or "去", e.g.

④ 你看，我又买回来一些书和光盘。

　你看，我又买回一些书和光盘来。

⑤ 小雨从书包里拿出来一张光盘。

　小雨从书包里拿出一张光盘来。

B. 宾语为表示处所的词或词组时，一定要放在"来"或"去"的前边。例如：

If the object is expressed by a noun or phrase of locality, it should be placed before "来" or "去", e.g.

⑥ 外边冷，快进屋来吧。

⑦ 这些东西我打算明天就寄回国去。

● 练习 EXERCISES ●

1. 用"来"或"去"填空 Fill in the blanks with "来" or "去"

❶ 照相机＊你带＿＿＿＿＿＿了吧？我们在这儿照张相＊，好吗？

❷ 妈妈给我寄＿＿＿＿＿一盒＊巧克力。

❸ 经理在楼下问服务员："303 房间要的报纸，你送＿＿＿＿＿了吗？"

❹ A：你去哪儿了？

　B：我去图书馆了。你看，这是我借＊＿＿＿＿＿的小说＊和杂志＊。

❺ 这些书你要拿到哪儿＿＿＿＿＿？

2. 看图，选用下列词语完成句子 Choose proper words from the list to complete the sentences according to the pictures

上来	下来	进来	出来	回来	过来	起来＊
上去	下去	进去	出去	回去	过去	—

快＿＿＿＿＿！

山上的风景真美，你们
快＿＿＿＿＿吧！

妈妈，您看，爸爸

_____。

时间不早了，我该

_____。

3. 看图，用所给动词和复合趋向补语完成句子 Complete the sentences according to the pictures with the given words and complex complements of direction

走

好孩子，_____。

站

老师进来了，学生们_____。

拿

我帮您_____。

开

汽车从他旁边_____。

4. 连词成句 Form sentences with the given words

① 小雨　家　回　了　去　　⇨ _____

② 他　进　跑*　教室　来　　⇨ _____

③ 他们　山　走　下　去　　⇨ _____

2. 兼语句 | Pivotal sentence

有一种动词谓语句，谓语是由两个动词结构构成的，前一个动词的宾语又是后一个动词的主语，这种句子叫兼语句。兼语句的第一个动词常常是"请""叫""让"一类的带有使令意义的动词。例如：

In Chinese, there is a kind of sentence with a verbal predicate, composed of two verbal construction in which the object of the first verb is at the same time the subject of the following verb. In a pivotal sentence the first verb is often a causative verb such as "请", "叫" and "让", etc., e.g.

① 我们请老师教我们唱中国歌。

② 莉莉叫我给她买些橘子。

③ 老师让我们预习*一下儿明天的生词。

"请""叫""让"都有要求别人做某事的意思，"请"用于比较客气的场合。"请"还有"邀请"的意思。例如：

"请", "叫" and "让" all have the meaning of asking someone to do something. "请" is much more polite and may also be used to express "to invite", e.g.

④ 我请你吃韩国菜。

● 练习 EXERCISES ●

看图回答问题 Answer the questions according to the pictures

照相

A：英男请这位先生做什么？

B：＿＿＿＿＿＿＿＿＿＿＿。

开门

A：莉莉请这位小姐做什么？

B：＿＿＿＿＿＿＿＿＿＿＿。

打扫

A：妈妈让小雨做什么？

B：＿＿＿＿＿＿＿＿＿＿＿。

逛

A：小雨的女朋友叫小雨做
什么？

B：＿＿＿＿＿＿＿＿＿＿＿。

3. "要是……就……" The construction "要是……就……"

"要是"表示假设，后一分句常用副词"就"来承接上文，得出结论。例如：

"要是" is used to express a condition. In the second clause of the sentence, the adverb "就" is used to link what follows as a concluding remark, e.g.

① 要是田中来了，你就让他等我一下儿。

② 要是你身体不舒服，就在宿舍好好儿休息吧。

③ 要是明天天气好，我们就骑自行车去颐和园。

● 练习 EXERCISES ●

用"要是……就……"格式完成句子 Complete the sentences with the construction "要是……就……"

❶ 要是明天下大雨，_____。

❷ 要是你骑车的技术不太高，_____。

❸ 我要是有很多钱，_____。

❹ _____，你就多吃点儿。

❺ _____，你就早点儿回去吧。

综合练习 COMPREHENSIVE EXERCISES

一、替换练习 Substitution drills

❶ A：你正在<u>学习</u>吧？不妨碍你吗？

B：没关系，快<u>进屋来</u>吧。

A：那打扰你了。

❷ A：真抱歉，<u>让你久等了</u>。

B：没什么。

❸ A：这是你叫我帮你<u>买的书</u>。

B：还麻烦你给我<u>送来</u>，真不好意思。

A：你太客气了。

❹ A：挺<u>重</u>的吧？要我帮忙吗？

B：不用了。

❺ A：对不起，打扰你们一下儿。

B：别客气，你说吧。

A：我现在得<u>上楼去</u>，要是<u>田中</u>来了，你就<u>让他等我一下儿</u>。

B：没问题。

❻ <u>告诉他我马上就下来</u>。多谢了。

二、选用下列词语完成句子 Complete the sentences with the words below

妨碍	打扰	抱歉	没什么	麻烦
不好意思	客气	帮忙	没问题	多谢了

❶ 真 <u>抱歉</u> 我又来晚了。

❷ <u>麻烦</u>你帮我买一瓶矿泉水，好吗?

❸ 我开着电视，<u>打扰</u>你学习吗?

❹ 你拿的东西太多了，要我<u>帮忙</u>吗?

❺ A: 你能帮我修一下儿自行车吗?

B: <u>没什么</u>。

❻ A: 雨下得这么大，你还来接我，真<u>　　　　　　</u>。

B: 你太<u>客气</u>了。

❼ 对不起，<u>　　　　　　</u>你一下儿，这个字怎么念?

❽ A: 点了这么多菜，能吃完吗?

B: <u>　　　　　　</u>。

❾ A: 这次你帮了我一个大忙，<u>　　　　　　</u>!

B: <u>　　　　　　</u>。

⏩ **三、根据所给材料组织会话** Make a dialogue according to the given information

> 　　A 的朋友 B 就要回国了，A 帮 B 买了一些北京特产 (tèchǎn, special local product)。A 去 B 的宿舍的时候，B 去商店了。B 的同屋 C 正在宿舍一边看书一边等朋友。
>
> 　　B 从商店买回来很多东西。这些东西她准备寄回去一部分，自己带回去一部分。

会话角色 Roles：A、B、C。

四、看图说话 Give a talk according the pictures with the given words

① 走

② 跑

③ 踢

④ 站

观众朋友们，A 队跟 B 队的足球比赛马上就要

开始了，……

生词 New Words

运动员	yùndòngyuán	名	athlete	
体育场	tǐyùchǎng	名	sport stadium	
观众	guānzhòng	名	audience	
比	bǐ	介	to	

五、听后选择正确答案并复述 Listen to the recording, then choose the correct answers and retell what you've heard

生词 New Words

吵架	chǎo jià		to quarrel
袋子	dàizi	名	bag

❶ 王先生生气地对爱人说什么?

　　A. 你别带走你的东西,快回来

　　B. 我要带走我的东西,不回来了

　　C. 你带走你的东西,别回来了

❷ 王先生的爱人听了王先生的话以后怎么样?

　　A. 哭着跑进房间去了

　　B. 哭着跑到外边去了

　　C. 哭着走进房间去了

❸ 过了一会儿，王先生的爱人从房间里拿出来什么？

A. 一个小袋子

B. 一个大箱子（xiāngzi, trunk）

C. 一个大袋子

❹ 王先生的爱人让王先生做什么？

A. 拿出去这个袋子

B. 放进去他的东西

C. 进袋子里去

第25课 他恐怕去不了

LESSON 25 　　HE PROBABLY CAN'T GO THERE

生词 NEW WORDS

1	空儿	kòngr *Nuse but noty*	名	spare time
2	的话, *如果要想*	dehuà	助	*a particle indicating supposition*
3	对话	duìhuà *段 duan = m*	名	dialogue / conversation
4	中文	Zhōngwén	名	Chinese language
5	字幕	zìmù	名	captions, subtitles
6	大概	dàgài	形	general / about
7	意思	yìsi	名	meaning, idea
8	肯定	kěndìng	副	sure definitely
9	恐怕	kǒngpà	副	I'm afraid

10	为什么	wèi shénme		why
11	受伤	shòu shāng		to be injured
12	俩	liǎ	数量	two
13	座位	zuòwèi	名	seat
14	邀请	yāoqǐng	动	to invite
15	郊游	jiāoyóu	动	to go for an outing
16	约	yuē	动	to appoint
17	长途	chángtú	形	long-distance
18	赶	gǎn	动	to catch
19	约会	yuēhuì	名	appointment
20	放心	fàng xīn		to feel relieved
21	耽误	dānwu	动	to miss
22	脏*	zāng	形	dirty
23	烫*	tàng	形	boiling hot
24	忘*	wàng	动	to forget
25	上*（闹钟）	shàng (nàogzhōng)	动	to wind (clock)

课文 TEXTS

1   Xiǎoyǔ: Jīn wǎn nǐ hé Bǎoluó yǒu kòngr dehuà, wǒ xiǎng qǐng nǐmen qù

小雨：今晚你和保罗有空儿的话，我想请你们去

      kàn diànyǐng.

看电影。

  Yīngnán: Wǒ bú tài xiǎng qù, diànyǐng li de duìhuà tài kuài le, wǒ kěnéng

英男：我不太想去，电影里的对话太快了，我可能

      tīng bu dǒng.

听不懂。

小雨：Xiǎoyǔ: Yǒu Zhōngwén zìmù, dàgài de yìsi nǐ kěndìng kàn de dǒng.
小雨：有 中文 字幕，大概的意思你肯定 看 得 懂。

Bǎoluó qù de liǎo qù bu liǎo?
保罗 去得了去不了？

Yīngnán: Tā kǒngpà qù bu liǎo.
英男：他 恐怕 去不了。

Xiǎoyǔ: Wèi shénme?
小雨：为 什么？

Yīngnán: Zuótiān tā tī qiú de shíhou shòu shāng le, xiànzài zǒu bu liǎo
英男：昨天 他踢球的时候 受 伤 了，现在 走 不 了

lù le.
路 了。

2 （在电影院）

Xiǎoyǔ: Zánmen zuò zhèr ba.
小雨：咱们 坐 这儿 吧。

Yīngnán: Tài yuǎn le, kǒngpà kàn bu qīngchu zìmù.
英男：太 远 了，恐怕 看 不 清楚 字幕。

Xiǎoyǔ: Nà jiù zuò qiánbian ba.
小雨：那 就 坐 前边 吧。

Yīngnán: Zuò zhèr búcuò, kàn de qīngchu, yě tīng de qīngchu.
英男：坐 这儿 不错，看 得 清楚，也 听 得 清楚。

Xiǎoyǔ: Kěshì wǒ qiánbian zhè ge rén tài gāo le, wǒ kàn bu jiàn.
小雨：可是我 前边 这个人太 高了，我 看 不 见。

Yīngnán: Zán liǎ huàn yíxiàr zuòwèi ba.
英男：咱 俩 换 一下儿 座位 吧。

3 Tiánzhōng: Zhíměi tāmen yāoqǐng zánmen míngtiān yìqǐ qù jiāoyóu, nǐ qù

田中： 直美 她们 邀请 咱们 明天 一起 去 郊游，你 去

de liǎo ma?

得 了 吗？

Yīngnán: Méi wèntí, wǒ zǎo jiù xiǎng chūqu wánrwánr le.

英男： 没 问题，我 早 就 想 出去 玩儿玩儿 了。

Tiánzhōng: Wǒmen yuēhǎo zǎoshang liù diǎn bàn chūfā.

田中： 我们 约好 早上 六 点 半 出发。

Yīngnán: Zhème zǎo, zěnme qǐ de lái ne?

英男： 这么 早，怎么 起 得 来 呢？

Tiánzhōng: Zánmen děi zuò chángtú qìchē, qùwǎn le dehuà jiù gǎn bu

田中： 咱们 得坐 长途 汽车，去 晚 了 的话 就 赶 不

shàng le.

上 了。

Yīngnán: Nà hǎo ba. Duì le, wǎnshang qī diǎn wǒ hái yǒu ge yuēhuì,

英男： 那 好 吧。对 了 [1]， 晚上 七 点 我 还 有 个 约会，

qī diǎn yǐqián huí de lái huí bu lái?

七点 以前 回 得 来 回 不 来？

Tiánzhōng: Fàng xīn ba, dānwu bu liǎo nǐ de yuēhuì.

田中： 放 心 吧，耽误 不 了 你的 约会。

注释 NOTE

1 对了

口语中，当说话人突然想起别的话题，或对前边说的事情有所补充时，常用"对了"作插入语。

In spoken Chinese, when one suddenly thinks of other topics or something that has been mentioned before in the conversation needs more completion, one often inserts "对了".

语法 GRAMMAR

> 1. 回得来、听不懂
> 2. 去得了 (liǎo)
> 3. 怎么（能）……呢

1. 可能补语 Complement of potential

在动词和结果补语或趋向补语之间加上结构助词"得"，就构成可能补语，表示可能。否定式是将"得"换成"不"。例如：

A complement of potential is formed with the structural particle "得" inserted between a verb and a complement of result or direction to indicate potentiality. The negative form is made by replacing "得" with "不", e.g.

> ① 坐这儿不错，看得清楚，也听得清楚。
>
> ② 电影里的对话太快了，我可能听不懂。
>
> ③ 六点钟太早了，我起不来。

正反疑问式是并列可能补语的肯定形式和否定形式。例如：

The affirmative-negative question with a complement of potential is obtained by juxtaposing the affirmative form of the complement and the negative form of it, e.g.

> ④ 下午四点我还有个约会，我们四点以前回得来回不来？

动词带宾语时，宾语放在可能补语的后边；如果宾语比较长，则往往放在句子开头。例如：

If a verb has an object, the object is placed after the complement of potential. If the object is long and complex, it is normally placed at the beginning of the sentence, e.g.

⑤ 我看不懂这本书。

⑥ 有中文字幕，大概的意思你肯定看得懂。

⑦ 你要的那本书现在买不到。

• 练习 EXERCISES •

看图，用可能补语完成句子 Complete the sentences according to the pictures with the words in the brackets and complements of potential

门太小了，＿＿＿＿＿＿＿。
（开）

老师讲得很清楚，＿＿＿＿＿＿。
（听）

他的电话号码太长了，
＿＿＿＿＿＿。（记）

作业太多了，＿＿＿＿＿＿。
（做）

这件衣服太脏 * 了，＿＿＿＿＿＿＿＿＿。（洗）

2. "了"（liǎo）作可能补语　The complement of potential "了"（liǎo）

动词"了"很少作结果补语或单独作谓语，但常用作可能补语，表示行为实现的可能性。例如：

The verb "了" is seldom used as a complement of result or as a predicate by itself. But it is often used as a complement of potential indicating the possibility of an action, e.g.

①保罗去得了去不了？

②昨天他踢球的时候受伤了，现在走不了路了。

③放心吧，耽误不了你的约会。

"了"有时还表示"完"的意思。例如：

"了" sometimes has the same meaning as "完", e.g.

④这么多酒，你一个人喝得了吗？

⑤今天的考试你们用不了两个小时就能做完。

• 练习　EXERCISES •

看图，用"……得了"或"……不了"完成句子　Complete the sentences according to
the pictures using "……得了" or "……不了"

这件衣服太瘦了，＿＿＿＿＿＿＿。

咖啡太烫＊了，＿＿＿＿＿＿＿。

她带的钱太少了，＿＿＿＿＿＿。

A：你别忘＊了我们啊！

B：放心吧，＿＿＿＿＿＿。

A：今天会不会下雨？要不要
　　带伞？

B：天气这么好，＿＿＿＿＿＿。

A：明天早上六点出发，你别
　　起晚了。

B：我上＊了闹钟，＿＿＿＿＿＿。

咱们点的菜太多了，＿＿＿＿＿＿。

嗬！这么多酒，＿＿＿＿？

3. "怎么（能）……呢"   The construction "怎么（能）……呢"

"怎么（能）……呢"表示反问的语气。例如：

"怎么（能）……呢" is used to form a rhetorical question, e.g.

① 这么早，我怎么起得来呢？

② 你是学生，怎么能不做作业呢？

• 练习 EXERCISES •

用"怎么（能）……呢"把句中画线部分变成反问句   Change the underlined parts into rhetorical question using the construction "怎么（能）……呢"

❶ A：我早上常常起不来。

  B：你每天睡得太晚，早上当然起不来。

  ⇨ ＿＿＿＿＿＿＿＿＿＿＿＿＿＿？

❷ A：你试试这条裤子。

  B：这么瘦，我肯定穿不了。

  ⇨ ＿＿＿＿＿＿＿＿＿＿＿＿＿？

❸ A：他说什么？我听不懂。

　　B：他说的是上海话，<u>你当然听不懂</u>。

　　➡ --- ？

❹ A：你知道他的手机号吗？

　　B：他没告诉过我，<u>我不知道</u>。

　　➡ --- ？

❺ A：你想不想家？

　　B：<u>那还用说，当然想</u>。

　　➡ --- ？

综合练习 COMPREHENSIVE EXERCISES

一、会话练习 Dialogue exercises

会话题目 Topic：

1 要是……的话，我想请你们……

2 ……邀请我们……

二、看图说话 Give a talk according to the pictures using the given words

1 ……受伤……

2 ……走不了……

3 ……听得懂……

4 一个星期…… ……好得了……

5 明天的比赛…… ……参加不了……

明天下午，留学生队跟中国学生队有一场足球

赛。保罗和同学们练习（liànxí, to practise）的时候，……

三、听后回答问题　Listen to the recording, and then answer the question

生词 New Words

病人	bìngrén	名	patient
看（病）	kàn (bìng)	动	to see (a doctor)
大夫	dàifu	名	doctor
药方	yàofāng	名	prescription

问题 Question

病人为什么觉得那个大夫不是真的大夫？

生词 NEW WORDS

1	结束	jiéshù	动	to finish
2	名胜	míngshèng	名	famous scenic spots
3	古迹	gǔjì	名	historical sites
4	比	bǐ	介	than
5	建议	jiànyì	动/名	to suggest; suggestion
6	还	hái	副	even more
7	凉快	liángkuai	形	nice and cool
8	预报	yùbào	动	to forecast
9	方便	fāngbiàn	形	convenient
10	最好	zuìhǎo	副	had better

11	伴儿	bànr	名	companion
12	互相	hùxiāng	副	each other
13	帮助	bāngzhù	动/名	to help; help
14	壮	zhuàng	形	strong
15	一样	yíyàng	形	same
16	希望	xīwàng	动/名	to hope; hope
17	同意	tóngyì	动	to agree
18	办	bàn	动	to do
19	国外	guówài	名	abroad
20	生活	shēnghuó	动/名	to live; life
21	国内	guónèi	名	domestic
22	方面	fāngmiàn	名	aspect
23	确实	quèshí	副	really
24	对	duì	介	for, with regard to
25	感兴趣	gǎn xìngqù		to be interested
26	依我看	yī wǒ kàn		in my opinion
27	商量	shāngliang	动	to consult, to discuss
28	河*	hé	名	river
29	深*	shēn	形	deep
30	容易*	róngyì	形	easy
31	饭店*	fàndiàn	名	hotel, restaurant
32	船*	chuán	名	ship

● 专名 **PROPER NOUN**

西安	Xī'ān		*name of a Chinese city*

课文 TEXTS

1 Yīngnán： Xuéxí jiéshù hòu, wǒ dǎsuàn qù lǚxíng. Nín shuō qù Xī'ān hǎo,
英男： 学习 结束 后, 我 打算 去 旅行。您 说 去 西安 好,

háishi qù Dàtóng hǎo?
还是 去 大同 好?

Lǎoshī： Xī'ān de míngshèng gǔjì bǐ Dàtóng duō, wǒ jiànyì nǐ qù Xī'ān
老师： 西安 的 名胜 古迹 比 大同 多,我 建议 你 去 西安

kànkan.
看看。

Yīngnán： Wǒ tīngshuō Xī'ān bǐ Běijīng hái rè, Dàtóng shì bu shì bǐ Běijīng
英男： 我 听说 西安 比 北京 还 热, 大同 是 不 是 比 北京

liángkuai yìdiǎnr?
凉快 一点儿?

Lǎoshī： Kàn tiānqì yùbào, jīnnián Dàtóng yě bù bǐ Běijīng liángkuai.
老师： 看 天气 预报,今年 大同 也 不比 北京 凉快。

Yīngnán： Xī'ān bǐ Dàtóng yuǎn de duō ba?
英男： 西安 比 大同 远 得 多 吧?

Lǎoshī： Shì a. Búguò, qù Xī'ān de chē bǐjiào duō, bǐ qù Dàtóng gèng
老师： 是 啊。不过, 去 西安 的 车 比较 多,比 去 大同 更

fāngbiàn.
方便。

Yīngnán： Hǎo, jiù tīng nín de.
英男： 好, 就 听 您 的[1]。

2 Lǎoshī： Wǒ kàn, chūqu lǚxíng nǐ zuìhǎo zhǎo ge bànr, kěyǐ hùxiāng
老师： 我 看[2], 出去 旅行 你 最好 找 个 伴儿,可以 互相

bāngzhù.
帮助。

Yīngnán: Wǒ yě zhème xiǎng. Wǒ zhǔnbèi gēn Bǎoluó yìqǐ qù.
英男：我 也 这么 想。我 准备 跟 保罗 一起 去。

Lǎoshī: Jiù shì nà ge yòu gāo yòu zhuàng de Déguó rén ba?
老师：就 是 那个 又 高 又 壮 的 德国 人 吧？

Yīngnán: Tā gēn wǒ yíyàng gāo, dànshì bǐ wǒ zhuàng duō le.
英男：他 跟 我 一样 高，但是 比 我 壮 多了。

Lǎoshī: Tā yǒu nǐ dà ma?
老师：他 有 你 大 吗？

Yīngnán: Tā méiyǒu wǒ dà.
英男：他 没有 我 大。

3 Lǎoshī: Xuéwán yǐhòu nǐ yǒu shénme dǎsuàn?
老师：学完 以后 你 有 什么 打算？

Yīngnán: Wǒ xīwàng zài Zhōngguó zhǎo ge gōngzuò, kěshì wǒ jiālirén bù
英男：我 希望 在 中国 找 个 工作，可是 我 家里人 不

tóngyì, wǒ bù zhīdào zěnme bàn hǎo.
同意，我 不知道 怎么 办 好。

Lǎoshī: Tāmen shì bu shì juéde zài guówài shēnghuó méiyǒu zài guónèi
老师：他们 是 不是 觉得 在 国外 生活 没有 在 国内

fāngbiàn?
方便？

Yīngnán: Shì a, yǒuxiē fāngmiàn quèshí méiyǒu guónèi fāngbiàn, dànshì
英男：是 啊，有些 方面 确实 没有 国内 方便，但是

wǒ duì zài zhèr gōngzuò hěn gǎn xìngqù.
我 对 在 这儿 工作 很 感 兴趣。

Lǎoshī: Yī wǒ kàn, nǐ háishi gēn jiālirén zài hǎohāor shāngliang
老师：依 我 看[2]，你 还是 跟 家里人 再 好好儿 商量

shāngliang ba.
商量 吧。

注释 NOTES

1 就听您的。

"听 + 代词 / 名词 + 的" 表示接受某人的建议。

"听 + Pronoun / Noun + 的" means to accept someone's advice.

2 我看 / 依我看

表示按照说话人的看法。

It means "in my opinion" .

语法 GRAMMAR

> 1. 他比我大。
> 2. 他比我大一岁。
> 3. 他跟我一样大。
> 4. 他没有我大。

1. 用 "比" 表示比较 "比" used to express comparison

介词 "比" 可以比较两个事物的性质、特点等。其词序是：A + 比 + B + 差别。例如：

The preposition "比" may be used to express comparison between two objects. The word order of a sentence of this type is: A + 比 + B + difference, e.g.

① 他二十岁，我十九岁。他比我大。

② 苹果一斤七块五，橘子一斤三块八。苹果比橘子贵。

在形容词谓语句中，用了 "比" 就不能再用 "很" "太" "非常" 等程度副词。比如，不能说 "他比我很忙" "苹果比橘子非常贵"。但可以加表示比较程度的副词 "更" "还" 等。比如，可以说"他比我更忙""苹果比橘子还贵"。

In an adjective-predicate sentence containing "比", adverbs of degree like "很", "太" and "非常" are never used before the predicate adjective. For example, we can't say "他比我很忙" or "苹果比橘子非常贵". But adverbs of degree such as "更" or "还" may be used. For example, we can say "他比我更忙" or "苹果比橘子还贵".

在动词谓语句中，如果动词后带程度补语，用"比"的句子可以这样说：

In a verbal-predicate sentence, if the verb has a complement of degree, the sentence containing "比" may be written as:

③ 他汉语说得比我流利。

④ 田中汉字写得比保罗好。

用"比"的比较句的否定形式是"不比"。例如：

The negative form of a sentence containing "比" is to replace "比" with "不比", e.g.

⑤ 大同不比北京凉快。

⑥ 这个房间不比那个房间大。

• 练习 EXERCISES •

1. 看图，用"比"完成句子 Complete the sentences according the pictures using "比"

(1)   例 Example

这条河 *   那条河

<u>那条河比这条河深 *</u>。

香山　　　　泰山（Tài Shān，Mount Tai）河

泰山 _____ 。

张三（Zhāng Sān）　　　　李四（Lǐ Sì）

张三 _____ 。

哥哥的成绩　　　　妹妹的成绩

哥哥的成绩 _____ 。

小雨的姐姐 <u>　　　　　　　　　　</u>。

(2)

例 Example

保罗跑得挺快，英男比
保罗跑得更 / 还快。

爸爸很忙，<u>　　　　　　　</u>。

四川菜

韩国菜

四川菜很辣, _____ 。

❸

莉莉的词典

直美的词典

莉莉的词典比较厚, _____ 。

2. 用"不比"或"没有"完成会话 Complete the dialogues with "不比" or "没有"

例 Example   A：看上去他比你高。
             B：<u>他不比我高</u>。

❶A：我觉得今天比昨天热。

B： _____ 。

❷A：韩国语比汉语容易 * 吧?

B： _____ 。

❸ A：她是不是比你瘦？

　　B：＿＿＿＿＿＿＿＿＿＿＿＿＿＿＿＿＿＿。

2. 数量补语　Complement of quantity

　　在用"比"表示比较的句子中，如果要表示两事物的具体差别，可以在表差别的词语后加上数量短语作补语。也可以用"一点儿""一些"等表示差别很小，用"得多""多了"说明差别很大。例如：

In an adjective-predicate sentence of comparison with "比", the specific differences between two things or people can be expressed by placing after the predicate a quantifier phrase as a complement. The words "一点儿" and "一些" are used to indicate that the difference between two things or people is very slight. The words "得多" and "多了" indicate that the difference is great, e.g.

> ① 他比我大一岁。/ 他比我大一点儿。
>
> ② 苹果比橘子贵两块。/ 苹果比橘子贵得多。
>
> ③ 田中汉字写得比保罗好多了。

• 练习　EXERCISES •

根据所给材料，用数量补语造句　Make sentences according to the given information using complement of quantity

(1) 例 Example 冬冬今年三岁。夏夏今年五岁。

　　　　　　⇨ 冬冬比夏夏小两岁。

❶ 苹果七块五一斤。橘子一斤三块五。

　　⇨ ＿＿＿＿＿＿＿＿＿＿＿＿＿＿＿＿＿＿。

❷ 这条路宽二十五米。那条路宽二十米。

　　⇨ ＿＿＿＿＿＿＿＿＿＿＿＿＿＿＿＿＿＿。

❸ 他 2015 年大学毕业。我 2014 年大学毕业。

⇨ _____。

(2) 〔例 Example〕 昨天三十二度。今天三十度。

⇨ 今天比昨天凉快一点儿。

❶ 莉莉 1.72 米。小叶 1.65 米。

⇨ _____。

❷ 我的自行车是前天买的。他的自行车是上个月买的。

⇨ _____。

❸ 我认识八百多个汉字。我同屋认识两千多个汉字。

⇨ _____。

❹ 住饭店 * 一个月六千多块。住宿舍一个月两千多块。

⇨ _____。

3. 用"跟……一样"表示比较 "跟……一样" used to express comparison

"跟……一样"表示两种事物比较的结果是同样的或类似的。其语序是：A +跟+ B +一样。例如：

"跟……一样" can be used to compare two things that are either identical or similar. The word order of a sentence of this type is: A + 跟 + B + 一样 , e.g.

① 他的鞋跟我的鞋一样。

如果要具体表示比较的结果，可以这样说：

If expressing specific result of comparison, it may be written as:

② 他的鞋跟我的鞋一样大。

③ 他跟我一样高。

否定式一般是在"一样"前边加否定副词"不"。例如：
The negative form of the pattern "跟……一样" is "跟……不一样", e.g.

④ 他的鞋跟我的鞋不一样大。

⑤ 他跟我不一样高。

• 练习 EXERCISES •

1. 找出哪些图形一样，哪些图形不一样 Try to find out which pictures are the same and which are different

例 Example

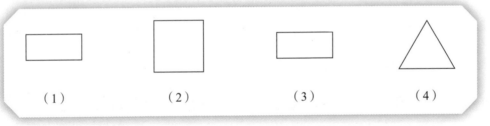

（1）　　　　　（2）　　　　　（3）　　　　　（4）

第（1）跟第（3）一样，它们跟第（2）和第（4）不一样。

①

（1）　　　　　（2）　　　　　（3）　　　　　（4）

（1）　　　　（2）　　　　（3）　　　　（4）

---

2. 具体指出下列各图中人或物相同及不同的地方 Specify the similarity and difference between the two people or objects in each picture

例 Example

园园：9 岁，1.1 米
豆豆：9 岁，1.25 米
园园跟豆豆一样大，不一样高。

A1 班：教室 20m²，学生 15 人　　A2 班：教室 25m²，学生 15 人

❷

东马路：长 500 米，宽 15 米　　西马路：长 500 米，宽 20 米

---

4. 用"有"或"没有"表示比较　"有" or "没有" used to express comparison

动词"有"或其否定式"没有"用于比较，表示达到或未达到某种程度，常用于疑问句和否定句。其语序为：A +（没）有 + B + 差别。例如：

The verb "有" or its negative form "没有" build negative or interrogative sentences expressing comparison. The sentence of this type indicates the extent to which two things are similar or dissimilar. The word order of a sentence of this type is: A +（没）有 + B + difference, e.g.

① 他有你大吗？

② 在国外生活没有在国内方便。

⚠ **注意**："没有……"跟"不比……"的意思不同。"他没有我大"的意思是"他比我小"；"他不比我大"既可以表示"他跟我一样大"，也可以表示"他没有我大"。不过，表达后一种意思时，"他没有我大"更常用。

NB："没有……" and "不比……" are different in meaning. For example，"他没有我大" means "他比我小"；but "他不比我大" means either "他跟我一样大" or "他没有我大". For the latter meaning，"他没有我大" is more often used than "他不比我大".

● 练习 EXERCISES ●

根据所给词语，用"有"提问，并按实际情况回答 Make questions with the given words and "有"，then give the answers according to the actual situation

例 Example

你们的教室   A：你们的教室有旁边的教室大吗？

旁边的教室   B₁：我们的教室没有旁边的教室大。

             B₂：我们的教室比旁边的教室大。

             B₃：我们的教室跟旁边的教室一样大。

❶ 你的房间   A：＿＿＿＿＿＿＿＿＿＿？

你朋友的房间   B：＿＿＿＿＿＿＿＿＿＿。

❷ 你   A：＿＿＿＿＿＿＿＿＿＿？

你同屋   B：＿＿＿＿＿＿＿＿＿＿。

❸ 坐船 *   A：＿＿＿＿＿＿＿＿＿＿？

坐火车   B：＿＿＿＿＿＿＿＿＿＿。

❹ 食堂的饭菜   A：＿＿＿＿＿＿＿＿＿＿？

饭馆的饭菜   B：＿＿＿＿＿＿＿＿＿＿。

综合练习 COMPREHENSIVE EXERCISES

一、替换练习 Substitution drills

❶ A：学习结束后，我打算去旅行。您说去西安好，还是去大同好？

　B：我建议你去西安看看。

　A：好，就听您的。

❷ A：我看，出去旅行你最好找个伴儿。

　B：我也这么想。我准备跟保罗一起去。

❸ A：学完以后你有什么打算？

　B：我希望在中国找个工作，可是我家里人不同意，我不知道怎么办好。

❹ 依我看，你还是跟家里人再好好儿商量商量吧。

二、根据所给材料组织会话 Make a dialogue according to the given information

会话情景 Situation：你和你朋友商量 7 月去哪儿旅行（现在你们在北京）。

会话题目 Topic：你说去哪儿好？

生词 New Words

哈尔滨	Hā'ěrbīn	专名	*name of a Chinese city*
杭州	Hángzhōu	专名	*name of a Chinese city*
昆明	Kūnmíng	专名	*name of a Chinese city*

2.

个人信息（gèrén xìnxī, personal information）	小叶	小叶的男朋友
年龄（niánlíng, age）	25 岁	27 岁
身高（shēngāo, height）	1.65 米	1.78 米
职业（zhíyè, profession）	记者	职员
月收入（yuèshōurù, monthly income）	三千多元	五千多元
爱好（àihào, hobby）	喜欢运动	喜欢运动
其他（qítā, other）	会做饭 做得很好	会做饭 做得不太好

会话情景 Situation：小叶告诉妈妈，她最近找了个男朋友。

会话角色 Roles：小叶和她妈妈。

▶ 三、选用所给词语或句式进行介绍 Choose the words or constructions below to give an introduction

比（不比、没有）　　比……一点儿（一些、得多、多了）
跟……（不）一样

❶ 介绍一位朋友。

❷ 介绍一个地方（dìfang, place）。

四、选用所给词语进行讨论 Choose the words below to give a discussion

在国外工作好不好？

┌───┐
│ （依）我看　　　生活　方便　方面　确实 │
│ 对……感兴趣　商量　打算　希望　同意 │
└───┘

五、听后复述 Listen to the recording, and then retell what you've heard

第 27 课 你把自行车放在哪儿了

LESSON 27 WHERE DID YOU PUT YOUR BICYCLE

请把自行车放在车棚内

 NEW WORDS

1	把	bǎ	介	*showing the influence on sb. or sth., or how sth. is dealt with*
2	钥匙	yàoshi	名	key
3	车棚	chēpéng	名	bicycle shed
4	还	huán	动	to return
5	着急	zháojí	形	worry
6	表	biǎo	名	form
7	交	jiāo	动	to give, to hand in
8	篇	piān	量	*a measure word for articles*
9	文章	wénzhāng	名	article
10	翻译	fānyì	动	to translate

11	水平	shuǐpíng	名	level
12	法语	Fǎyǔ	名	French
13	当	dàng	动	to regard
14	成	chéng	动	as
15	推*	tuī	动	to push
16	搬*	bān	动	to move
17	开*	kāi	动	to hold (a meeting)
18	晚会*	wǎnhuì	名	evening party
19	熊猫*	xióngmāo	名	panda
20	动物园*	dòngwùyuán	名	zoo
21	贴*	tiē	动	to stick
22	信封*	xìnfēng	名	envelope
23	坏*	huài	形	broken
24	递*	dì	动	to pass, to deliver
25	它*	tā	代	it
26	人民币*	rénmínbì	名	(*Chinese monetary unit*) RMB

课文 TEXTS

1 Tiánzhōng: Nǐ néng bu néng bǎ nǐ de zìxíngchē jiè gěi wǒ yòngyong?
田中：你 能 不 能 把 你 的 自行车 借给我 用用？

Yīngnán: Méi wèntí. Gěi nǐ yàoshi.
英男：没 问题。给 你 钥匙。

Tiánzhōng: Nǐ bǎ zìxíngchē fàng zài nǎr le?
田中：你 把 自行车 放 在 哪儿 了？

Yīngnán: Fàng zài lóu xià de chēpéng li le.
英男：放 在 楼下 的 车棚 里了。

Tiánzhōng: Wǒ yòngwán jiù mǎshàng huán gěi nǐ.
田中：我 用完 就 马上 还 给 你。

Yīngnán: Méi guānxi, búyòng zháojí.
英男：没 关系，不用 着急。

2 Tiánzhōng: Yàoshi fāngbiàn dehuà, míngtiān nǐ qù bàngōngshì shí, bāng
田中：要是 方便 的话， 明天 你 去 办公室 时 [1]， 帮

wǒ bǎ zhè zhāng biǎo sòng dào bàngōngshì.
我 把 这 张 表 送 到 办公室。

Yīngnán: Xíng. Bǎ tā jiāo gěi shéi?
英男：行。 把 它 交 给 谁?

Tiánzhōng: Bǎ tā jiāo gěi Zhào lǎoshī.
田中：把 它 交 给 赵 老师。

Yīngnán: Yàoshi Zhào lǎoshī bú zài, zěnme bàn?
英男：要是 赵 老师不在， 怎么 办?

Tiánzhōng: Zhào lǎoshī bú zài dehuà, nǐ jiù bǎ biǎo fàng zài tā de zhuōzi shang.
田中：赵 老师不在的话，你 就把 表 放 在 她的 桌子 上。

Yīngnán: Hǎo, wǒ zhīdào le.
英男：好， 我 知道 了。

Tiánzhōng: Nǐ bié wàng le.
田中：你 别 忘 了。

Yīngnán: Fàng xīn ba, wàng bu liǎo.
英男：放 心 吧，忘 不 了。

3 Tiánzhōng: Wǒ xiǎng qǐng nǐ bāng ge máng.
田中：我 想 请你帮个 忙。

Xiǎoyǔ: Shénme shì? Nǐ shuō ba.
小雨：什么 事? 你 说 吧。

Tiánzhōng: Qǐng nǐ bāng wǒ bǎ zhè piān wénzhāng fānyì chéng Yīngwén,
田中：请 你 帮 我把这篇 文章 翻译 成 英文，

　　　　　　hǎo ma?
　　　　　　好 吗？

Xiǎoyǔ: Wǒ de Yīngwén shuǐpíng bù gāo, zěnme fānyì de liǎo a?
小雨: 我 的 英文 水平 不 高，怎么 翻译 得 了 啊？

Tiánzhōng: Nǐ bú shì xué Yīngyǔ de ma?
田中: 你 不 是 学 英语 的 吗？

Xiǎoyǔ: Nǎr a, wǒ shì xué Fǎyǔ de.
小雨: 哪儿 啊 [2]，我 是 学 法语 的。

Tiánzhōng: Zhēn de ma? Wǒ bǎ nǐ dàngchéng xué Yīngyǔ de le.
田中: 真 的 吗？ 我 把 你 当成 学 英语 的 了。

注释　NOTES

1　你去办公室时……

"……时" 的意思相当于 "……的时候"。

"……时" equals to "……的时候"。

2　哪儿啊。

"哪儿啊" 用在答句中，表示否定。

"哪儿啊" is used as the answer to express negation.

语法 GRAMMAR

1. 把 + V + { 到 / 在 / 给 / 成 }

2. 不是……吗？

1. "把"字句（1）The "把" sentences（1）

"把"字句常常用来强调说明动作对某事物如何处置及处置的结果。"把"字句的语序是：

主语＋把＋宾语（受处置的事物）＋动词＋其他成分（如何处置或处置的结果）

"把" sentences are usually used to emphasize how the object of a verb is disposed of and what result is brought about. The word order of "把" sentences is:

Subject ＋ 把 ＋ Object (things disposed of) ＋ Verb ＋ Other elements (like how to dispose of or the result of it)

"把"字句的语法特点是：

Grammatical features of "把" sentences:

（1）"把"的宾语是说话人心目中已经确定的。因此，不能说"我把一杯咖啡喝了"，只能说"我把那杯咖啡喝了"或"我喝了一杯咖啡"。

The object of a "把" sentence is a definite person or a thing in the mind of the speaker. Hence, instead of "我把一杯咖啡喝了", we should say "我把那杯咖啡喝了", or "我喝了一杯咖啡".

（2）"把"字句的主要动词一定是及物的，并带有处置或支配的意义。没有处置或支配意义的动词，如"有""是""在""喜欢""知道"等，不能用于"把"字句。

The main verb of a "把" sentence should be transitive and has a meaning of disposing or controlling something. Verbs without such a meaning, e.g "有", "是", "在", "喜欢" and "知道" etc. can't be used in "把" sentences.

（3）"把"字句的动词后，必须带有其他成分，如动态助词"了"或"着"、宾语、补语（可能补语除外），或动词重叠，说明动作的影响或结果。例如，不能说"我把那杯咖啡喝"，只能说"我把那杯咖啡喝了"或"我把那杯咖啡喝完了"。

The main verb of a "把" sentence must be followed by some elements，such as aspect particle "了" or "着"，an object，a complement（complements of potential excepted），or the repetition of the verb, to indicate the result or effect of the action. Thus，instead of "我把那杯咖啡喝"，we should say "我把那杯咖啡喝了"，or "我把那杯咖啡喝完了".

在汉语里，如果主要动词后有结果补语"到""在""给""成"，那么必须使用"把"字句。它们表示的意思分别是：

In Chinese, if the main verbs are followed by the complements of result "到", "在", "给" or "成", "把" sentences must be used. Their respective meanings are as follows:

到：说明受处置的事物或人通过动作到达某地。

"到" shows that the things or persons that are being disposed of arrive some places.

在：说明受处置的事物或人通过动作处于某地。

"在" shows that the things or persons that are being disposed of are in some places.

给：说明受处置的事物通过动作交给某一对象。

"给" shows that the things that are being disposed of are given to somebody else.

成：说明受处置的事物或人通过动作成为什么。

"成" shows that the things or persons that are being disposed of become something else.

例如：

E.g.

① 请帮我把这张表送到办公室。

② 我把自行车放在楼下的车棚里了。

③ 请把这张表交给赵老师。

④ 我把你当成学英语的了。

否定副词、能愿动词或表示时间的状语，必须放在"把"的前边。例如：

Negative adverbs, modal verbs and adverbial adjunct denoting time must be placed before "把",

e.g.

⑤ 我还没把这张表送到办公室。

⑥ 你能帮我把这篇文章翻译成英文吗？

⑦ 我明天就把这张表交给赵老师。

• 练习 EXERCISES •

1. 看图，用"把……V 到……"格式完成句子   Complete the sentences according to the
pictures with "把……V 到……"

例 Example

送
妈妈<u>把孩子送到幼儿园了</u>。

推 *
这个孩子走不了路，
_____。

搬 *
学生们要开 * 晚会 *，
_____。

带
孩子要看熊猫 *，_____
_____。（动物园 *）

送
保罗的腿受伤了，
_____。

2. 看图，用"把……V 在……"格式完成句子 Complete the sentences according to the pictures with "把……V 在……"

例 Example

放
小雨把闹钟放在床旁边了。

贴 *、信封 *

她 _____。

挂

他 _____。

摆

莉莉 _____。

写

保罗 _____。

3. 看图，用"把……V 给……"格式完成句子 Complete the sentences according to the pictures with "把……V 给……"

例 Example

交

保罗，麻烦你把<u>这封信交给英男</u>。

寄

直美打算 ＿＿＿＿＿＿＿＿＿。

借

我的照相机坏 * 了，

＿＿＿＿＿＿＿＿＿？

递 *

麻烦你 ＿＿＿＿＿＿＿＿＿。

4. 看图，用"把……V 成……"格式完成句子　Complete the sentences according to the pictures with "把……V 成……"

例 Example

翻译
<u>你能把它*翻译成中文吗？</u>

换

他 _____。（人民币 *）

写

这个学生 _____。

看

他 _____。

听

接电话的人 _____。

2. "不是……吗"　The construction "不是……吗"

"不是……吗"构成的反问句用来表示肯定，并有强调的意思。例如：

"不是……吗" is often used to form a rhetorical question to indicate that what is said is true. It is usually employed to give emphasis to a statement, e.g.

> ① 你不是学英语的吗？请你帮我翻译翻译吧。(你是学英语的。)
>
> ② 你不是去过大同吗？你给我们介绍一下儿吧。(你去过大同。)

● 练习　EXERCISES ●

把画线部分改成"不是……吗"问句　Change the underlined parts of the sentences into "不是……吗" questions

❶ A：这是西蒙的词典，怎么在你这儿？

　　B：他回国的时候把它送给我了。

　　⇨ _____?

❷ A：你喜欢唱歌，今天晚上怎么不跟他们去唱歌呢？

　　B：今天晚上我有约会。

　　⇨ _____?

❸ A：明天上午几点出发？

　　B：我昨天已经告诉过你了，8:30。

　　A：对不起，我忘了。

　　⇨ _____?

❹ A：你说给他打电话，怎么没打？

　　B：我忘了他的电话号码了。

　　⇨ _____?

综合练习 COMPREHENSIVE EXERCISES

一、替换练习 Substitution drills

❶ A：你能不能把<u>你的自行车</u>借给我<u>用用</u>？

　　B：没问题。

❷ A：我<u>用完</u>就马上<u>还给你</u>。

　　B：没关系，不用着急。

❸ A：要是方便的话，<u>明天你去办公室</u>时，帮我<u>把这张表送到办公室</u>。

　　B：行。

❹ A：我想请你帮个忙。

　　B：什么事？你说吧。

　　A：请你帮我<u>把这篇文章翻译成英文</u>，好吗？

二、会话练习 Dialogue exercises

会话题目 Topics：

❶ 你能不能把……借给我……

❷ 要是方便的话，你……时，帮我把……送到……

❸ 请你帮我把……翻译成……，好吗？

三、看图说话 Give a talk according to the pictures using the given words

英男把书包忘在出租车上了

四、听后回答问题并复述 Listen to the recording，then answer the questions and retell what you've heard

生词 New Words

纸	zhǐ	名	paper
此路不通	cǐ lù bù tōng		No throughfare

问题 Questions

1 这位老人为什么把牌子上的字写在纸上？

2 那块牌子上写的是什么？

生词 NEW WORDS

1	关	guān	动	to switch off
2	感冒	gǎnmào	动/名	to catch colds; flu
3	发烧	fā shāo		to have a fever
4	哟	yō	叹	oh (*a sign of surprise*)
5	赶快	gǎnkuài	副	at once , quickly
6	愿意	yuànyì	助动	willing to
7	怕	pà	动	to be afraid of
8	打针	dǎ zhēn		to have an injection
9	大夫	dàifu	名	doctor
10	头疼	tóu téng		(to have a) headache

11	嗓子	sǎngzi	名	throat
12	疼	téng	形	painful
13	咳嗽	késou	动	to cough
14	量	liáng	动	to take (temperature)
15	体温	tǐwēn	名	(body) temperature
16	体温表 （体温计）	tǐwēnbiǎo （tǐwēnjì）	名	(clinical) thermometer
17	度	dù	量	degree
18	嘴	zuǐ	名	mouth
19	张	zhāng	动	to open
20	开（药）	kāi (yào)	动	to write out (a prescription)
21	按时	ànshí	副	on time
22	平时	píngshí	名	in normal times
23	劝	quàn	动	to advise, to persuade
24	好处	hǎochu	名	advantage
25	烟	yān	名	cigarette
26	戒	jiè	动	to stop, to give up
27	打开*	dǎ kāi		to open
28	空气*	kōngqì	名	air
29	手*	shǒu	名	hand
30	旧*	jiù	形	old
31	拆*	chāi	动	to take apart
32	花瓶*	huāpíng	名	vase
33	摔*	shuāi	动	to fall, to break

课文 TEXTS

1 （小雨和姐姐在家里）

Xiǎoyǔ: Zěnme zhème lěng? Kuài bǎ kōngtiáo guānshang ba.
小雨： 怎么 这么 冷？ 快 把 空调 关上 吧。

Jiějie: Nǐ shì bu shì gǎnmào le?
姐姐： 你 是 不 是 感冒 了？

Xiǎoyǔ: Wǒ kěnéng yǒudiǎnr fā shāo.
小雨： 我 可能 有点儿 发 烧。

[姐姐摸摸小雨的额头（étóu, forehead）]

Jiějie: Yō, zhème tàng! Gǎnkuài bǎ yīfu chuānshang, wǒ péi
姐姐： 哟， 这么 烫！ 赶快 把 衣服 穿上， 我 陪

nǐ qù yīyuàn.
你 去 医院。

Xiǎoyǔ: Wǒ bú yuànyì qù, wǒ zuì pà dǎ zhēn.
小雨： 我 不 愿意 去，我 最 怕 打针。

Jiějie: Nà zěnme xíng ne? Kuài zǒu ba.
姐姐： 那 怎么 行 呢？ 快 走 吧。

2 （在医院）

Dàifu: Zěnme le? Nǎr bù shūfu?
大夫： 怎么 了？ 哪儿 不 舒服？

Xiǎoyǔ: Zuótiān kāishǐ tóu téng、sǎngzi téng, hái yǒudiǎnr késou.
小雨： 昨天 开始 头 疼、嗓子 疼，还 有点儿 咳嗽。

Dàifu: Xiān liáng yíxiàr tǐwēn, bǎ tǐwēnbiǎo fànghǎo.
大夫： 先 量 一下儿 体温，把 体温表 放好。

（量完后，把体温表交给大夫）

Dàifu: Sānshíbā dù bā.　Qǐng bǎ zuǐ zhāngkāi, wǒ kànkan.
大夫：三十八 度八。请 把嘴 张开，我 看看。

Xiǎoyǔ: Dàifu, wǒ bù xiǎng dǎ zhēn.
小雨：大夫，我 不 想 打针。

Dàifu: Nà wǒ gěi nǐ kāi diǎnr yào, yào ànshí chī. Píngshí yào duō hē
大夫：那我 给你 开点儿 药，要 按时 吃。平时 要 多 喝

diǎnr shuǐ.
点儿 水。

3 （晚上，姐姐看见小雨正在抽烟）

Jiějie: Wǒ quàn nǐ shǎo chōu diǎnr yān, chōu yān duì shēntǐ méiyǒu
姐姐：我 劝 你 少 抽 点儿 烟，抽 烟 对 身体 没有

hǎochu.
好处。

Xiǎoyǔ: Āiyā, yòu lái le,　nǐ yǐjīng shuōle bābǎi biàn le.
小雨：哎呀，又 来 了 [1]，你 已经 说 了 八百 遍 了。

Jiějie: Yàoshi nǐ bǎ yān jiè le, wǒ jiù bù shuō le　Jīntiān qǔ huílai de
姐姐：要是 你 把 烟 戒 了，我 就 不 说 了。今天 取 回来 的

yào ne?
药 呢？

Xiǎoyǔ: Wǒ yǐjīng bǎ tā chī le.
小雨：我 已经 把 它 吃 了。

Jiějie: Nà jiù bǎ diànshì guānshang, zǎo diǎnr shuì jiào ba.
姐姐：那 就 把 电视 关上， 早 点儿 睡 觉 吧。

注释　NOTE

1 又来了。

"又来了"表示要求不要重复过去的话或动作。

"又来了" is used to express that one doesn't like a sentence already said or action already made to be said or made again.

语法 GRAMMAR

"把"字句 (2)　The "把" sentences (2)

在汉语里，还有一些动词谓语句既可以用"把"，又可以不用"把"，但表达的意思有所不同。试比较下面的例子：

In Chinese, in some sentences with verbal predicates, "把" may or may not be used. But the sentences with "把" and without "把" have different meanings, e.g.

① 快关上空调。　　　② 请张开嘴。

　快把空调关上。　　　请把嘴张开。

不用"把"的句子只是一般的叙述，而用"把"的句子则有强调对宾语处置的意思，语气也更强。

The sentences without "把" express general narration, whereas the sentences with "把" emphasize that one disposes of the objects and harden the tone.

• 练习 EXERCISES •

看图，用"把"完成句子 Complete the sentences according to the pictures using "把"

(1)

例 Example

打开*
屋里空气*不好，<u>快把窗户打开</u>。

洗干净
吃饭以前，＿＿＿＿＿＿＿。（手*）

拿进去
麻烦你＿＿＿＿＿＿＿。

带来

明天你来的时候，＿＿＿＿＿＿＿＿。

关上

刮大风了，＿＿＿＿＿＿＿＿。

(2)

例 Example

卖

她把旧*报纸和杂志卖了。

吃

小雨＿＿＿＿＿＿＿。

拆*

孩子＿＿＿＿＿＿＿。

修好

她 ＿＿＿＿＿＿＿＿＿。

擦干净

她 ＿＿＿＿＿＿＿＿＿。

综合练习 COMPREHENSIVE EXERCISES

▶ **一、替换练习** Substitution drills

① 怎么这么<u>冷</u>？快把<u>空调关上</u>吧。

② 赶快把<u>衣服穿上</u>。

③ 快<u>走</u>吧。

④ 要按时<u>吃药</u>。平时要多<u>喝点儿水</u>。

⑤ A：我劝你少<u>抽点儿烟</u>，<u>抽烟</u>对<u>身体</u>没有好处。

    B：哎呀，又来了，你已经说了<u>八百</u>遍了。

⑥ 早点儿<u>睡觉</u>吧。

▶ **二、根据所给材料组织会话** Make a dialogue according to the given information

> 病　历
>
> 姓名：李英男　　性别：男　　年龄：24 岁
> 症状：嗓子疼，咳嗽，打喷嚏，流鼻涕，发烧（39 度）
> 时间：两天
> 诊断：流行性感冒
> 治疗：1. 打针：一天打两次，打三天
>   2. 药："感冒通"一盒
>   一天吃三次，一次吃一片

生词 New Words

病历	bìnglì	名	medical recorder
性别	xìngbié	名	gender
症状	zhèngzhuàng	名	symptom

喷嚏	pēntì	名	sneeze
流	liú	动	to shed
鼻涕	bítì	名	snivel
诊断	zhěnduàn	动	to diagnose
流行性	liúxíngxìng	形	epidemic
治疗	zhìliáo	动	to treat
感冒通	Gǎnmàotōng	专名	*name of a medicine for colds*
片	piàn	量	tablet

会话情景 Situation：英男病了。

会话题目 Topics：1. 赶快把衣服穿上，我陪你去医院。

2. 你怎么了？哪儿不舒服？

会话角色 Roles：1. 英男和保罗。

2. 英男和大夫。

三、看图说话 Give a talk according to the pictures with the given words

今天你们做什么了

妈妈问……   ……做……

……打扫……

……洗……

花瓶 *   摔 *

四、听后回答问题并复述 Listen to the recording, then answer the questions and retell what you've heard

生词 New Words

醉	zuì	形	drunk
晃	huàng	动	to shake

问题 Questions

1 那个人在家门口做什么?

2 他请邻居帮他做什么?

生词　NEW WORDS

1	提	tí	动	to talk about, to mention
2	被	bèi	介	by, *introducing the agent of a passive sentence*
3	三轮车	sānlúnchē	名	tricycle
4	撞	zhuàng	动	to knock
5	倒	dǎo	动	(to knock) down
6	胳膊	gēbo	名	arm
7	腿	tuǐ	名	leg
8	青	qīng	形	blue

9	倒霉	dǎoméi	形	unlucky
10	小心	xiǎoxīn	形	careful
11	像话	xiànghuà	形	reasonable, proper, right
12	透	tòu	形	extreme
13	叫	jiào	介	by, *introducing the agent in a passive sentence*
14	小偷	xiǎotōu	名	thief
15	偷	tōu	动	to steal
16	丢	diū	动	to lose
17	气	qì	动	to get angry
18	考	kǎo	动	to examine
19	听力	tīnglì	名	listening
20	复习	fùxí	动	to review
21	咳	hāi	叹	oh, *a sigh of sadness*
22	连…… 也……	lián…… yě……		even
23	让	ràng	介	by, *introducing the agent in a passive sentence*
24	录音	lùyīn	名/动	recording; to record
25	主意	zhúyì/zhǔyi	名	idea
26	淋*	lín	动	to wet
27	湿*	shī	形	wet
28	批评*	pīpíng	动	to criticize
29	顿*	dùn	量	*a measure word used to describe the frequency of certain kind of action*
30	警察*	jǐngchá	名	police
31	抓*	zhuā	动	to seize
32	师傅*	shīfu	名	master worker
33	玩具*	wánjù	名	toy

课文 TEXTS

1 （直美从外面进来，胳膊受伤了）

Lìli：Nǐ zěnme le?
莉莉：你 怎么 了？

Zhíměi：Bié tí le, gāngcái qí chē chūqu, bèi yí liàng sānlúnchē
直美：别 提 了 [1]， 刚才 骑 车 出去，被 一 辆 三轮车

zhuàngdǎo le.
撞倒 了。

Lìli：Shì ma? Shòu shāng le méiyǒu?
莉莉：是 吗？ 受 伤 了 没有？

Zhíměi：Nǐ kàn, gēbo hé tuǐ dōu bèi zhuàngqīng le. Zhēn dǎoméi!
直美：你 看，胳膊 和 腿 都 被 撞青 了。真 倒霉！

Lìli：Yǐhòu qí chē de shíhou xiǎoxīn diǎnr.
莉莉：以后 骑车 的 时候 小心 点儿。

Zhíměi：Bú shì wǒ bù xiǎoxīn, shì nà ge qí sānlúnchē de qí de tài kuài le.
直美：不是 我 不 小心，是 那个 骑 三轮车 的 骑 得 太 快 了。

Lìli：Zhēn bú xiànghuà!
莉莉：真 不 像话！ [2]

2 Zhíměi：Wǒ jīntiān zhēn shì dǎoméi tòu le!
直美：我 今天 真 是 倒霉 透 了！

Lìli：Hái yǒu shénme dǎoméi shì?
莉莉：还 有 什么 倒霉 事？

Zhíměi：Shàngwǔ guàng shāngdiàn de shíhou, qiánbāo jiào xiǎotōu
直美：上午 逛 商店 的 时候， 钱包 叫 小偷

tōuzǒu le.
偷走 了。

Lìli: Diūle duōshao qián?
莉莉：丢了 多少 钱？

Zhímēi: Wǔbǎi duō kuài. Zhēn qì rén!
直美：五百 多 块。真 气人！ [3]

3　Lìli: Dàhòutiān kǎo tīnglì, nǐ fùxí de zěnmeyàng le?
莉莉：大后天 考 听力，你 复习得 怎么样 了？

Zhímēi: Hāi, lián diànnǎo yě ràng wǒ gěi shuāihuài le, xiànzài tīng bu liǎo
直美：咳，连 电脑 也让 我给 摔坏 了，现在 听不了

lùyīn le. Zhēn jí rén!
录音 了。真 急人！ [3]

Lìli: Nǐ bǎ tā sòng dào Xiǎoyǔ nàr ba. Shàng cì wǒ de diànnǎo jiù shì
莉莉：你 把它 送 到 小雨 那儿 吧。上 次 我 的 电脑 就 是

ràng Xiǎoyǔ gěi xiūhǎo de.
让 小雨 给 修好 的。

Zhímēi: Hǎo zhúyi, wǒ mǎshàng jiù qù.
直美：好 主意，我 马上 就 去。

注释　NOTES

1 别提了。

"别提了"表示不愿谈及某话题（多为让人感到不快的话题）。

"别提了" has the meaning that one doesn't want to talk about one thing (especially when talking about something that makes him unhappy).

2 真不像话!

"真不像话"常用来批评某些言语或行动不合乎情理或道理。

"真不像话" is often used to criticize what people say or do, when one evaluates that it is not in accord with the common sense or the most basic logic.

3 真气人！/真急人！

"真气人""真急人"分别用来表示对某种情况感到气愤或着急。

"真气人" and "真急人" are used respectively to express that one is very angry with a situation or that one feels anxious.

语法 GRAMMAR

1. 被、叫、让
2. 连……也（都）……

1. 被动句 The passive sentences

汉语中有一种句子，它的主语是受事，并用介词"被""叫""让"引出动作的施事，这种用介词"被""叫""让"来表示被动的句子叫被动句。被动句的谓语动词一般总带有其他成分，说明动作的结果、程度、时间等，多含有不如意的意思。"被"多用于书面语，"叫"和"让"多用于口语。口语里施事宾语的后边也可以加表被动的"给"。被动句的语序一般是：

主语（受事）+ 被 / 叫 / 让 + 介词的宾语（施事）（+ 给）+ 动词 + 其他成分

In Chinese, there is a type of sentences called passive sentences. In a passive sentence, the subject is the receiver of an action and the prepositions "被", "叫" or "让" are put before the performer of the action. The predicate of a passive sentence generally contains other elements indicating the result, extent or the time of an action etc., expressing in general that one isn't satisfied with the result. "被" is mostly used in written Chinese whereas "叫" and "让" are usually used in spoken Chinese. In spoken Chinese, one can add a "给" expressing the passive after the prepositional complement. The word order of a passive sentence is as follows:

Subject（receiver of the action）+ 被 / 叫 / 让 + Object of preposition（+ 给）+ Verb + Other element

例如：

E.g.

① 刚才我被一辆三轮车撞倒了。

② 上午逛商店的时候，钱包叫小偷偷走了。

③ 上次我的电脑就是让小雨给修好的。

如果施事是不必或不能说出的，就可以用泛指的"人"来代替。例如：

If there is no need to or one is not able to tell the performer of an action, the agent can be replaced by the word "人" which is one of generic reference, e.g.

④ 那本书可能让人借走了。

当施事不需要说明时，"被"也可以直接放在动词前。"让"和"叫"没有这种用法。例如：

If it is unnecessary to tell the performer of an action, "被" can go without an object (the agent) and be followed immediately by the predicate verb. "叫" or "让" can't be used in this way, e.g.

⑤ 啤酒都被喝完了。

否定副词和能愿动词都得放在"被""叫""让"的前边。例如：

The negative adverb or modal verb, when there is one, should be placed before "被" "叫" or "让", e.g.

⑥ 我的自行车没让人借走。

• 练习 EXERCISES •

1. 将下列句子改为被动句 Change the sentences into passive sentences

❶ 风刮走了他的帽子。

⇨ --

❷ 雨淋*湿*了她的头发和衣服。

⇨ _____

❸ 孩子摔坏了妈妈的眼镜。

⇨ _____

❹ 小明又没做作业，老师批评*了他一顿*。

⇨ _____

2. 用"被""叫""让"填空　Fill in the blanks with "被", "叫" or "让"

❶ 受伤的人 _____ 送到医院了。

❷ 小偷 _____ 警察*抓*住了。

❸ 旧房子 _____ 拆了。

❹ 那本小说已经 _____ 翻译成英文了。

❺ 这一大只烤鸭都 _____ 我们吃完了。

3. 把括号中的词填入句中合适的位置　Put the words in the brackets to the proper position in the sentences

❶ A 我的自行车 B 被那位师傅 *C 修好了。(已经)

❷ 那本杂志 A 已经叫 B 人 C 借走了。(给)

❸ 护照 A 被 B 小偷 C 偷走。(没)

❹ 那些 A 玩具 *B 让孩子 C 拆了。(都)

2. "连……也（都）……"　The construction "连……也（都）……"

"连……也（都）……"表示强调，含有"甚而至于"的意思。例如：

"连 …… 也（都）……" is a way to put the emphasis on the element after "连" and has the meaning of "even", e.g.

① 连电脑也让我给摔坏了。

② 他起晚了，连早饭也没吃就去上课了。

• 练习 **EXERCISES** •

用"连……也（都）……"格式完成句子 Complete the sentences with the construction
"连……也（都）……"

❶ 这个问题太容易了，_____。

❷ 他忙极了，_____。

❸ 这是我的秘密，_____。

❹ 他汉语水平特别高，_____。

综合练习 COMPREHENSIVE EXERCISES

一、替换练习 Substitution drills

❶ A：你怎么了？

B：别提了，刚才骑车出去，被一辆三轮车撞倒了。

❷ 你看，胳膊和腿都被撞青了。真倒霉！

❸ A：不是我不小心，是那个骑三轮车的骑得太快了。

B：真不像话！

❹ 我今天真是倒霉透了！

❺ 丢了五百多块钱。真气人！

❻ A：咳，连电脑也让我给摔坏了，现在听不了录音了。真急人！

B：你把它送到小雨那儿吧。上次我的电脑就是让小雨给修好的。

A：好主意，我马上就去。

二、根据所给材料会话 Make dialogues acccording to the given information

1.

有人把西瓜（xīguā, watermelon）皮扔在楼门口，A 先生去外边的时候，一下楼就滑（huá, to slide）倒了，他的胳膊被摔伤了。

B 先生今天骑车去书店，有个人逆行（nìxíng, to go in a direction against traffic regulation），B 先生被这个人撞倒了。他的腿被摔青了，自行车也被摔坏了。

会话情景 Situation：A 先生在医院遇见 B 先生。

会话题目 Topic：别提了，今天真倒霉！

会话角色 Roles：A 先生和 B 先生。

2.

> C 小姐上星期买了一辆很漂亮的自行车，因为楼下没有车棚，所以她把车放在了楼门口。今天早上她出去的时候发现（fāxiàn，to discover），自行车没有了。

会话情景 Situation：C 小姐去找警察。

会话题目 Topic：真气人!

三、自由表述 Speak freely

谈一件你遇到的倒霉事。

> 不像话　真气人　倒霉透了　被　连……也……

四、听后回答问题并复述 Listen to the recording，then answer the question and retell what you've heard

问题 Question

小明今天一进教室就告诉老师什么？为什么？

生词 NEW WORDS

1	向	xiàng	介	to
2	告别	gào bié		to say good-bye
3	行李	xíngli	名	luggage
4	收拾	shōushi	动	to pack up
5	上班	shàng bān		to go to work
6	保重	bǎozhòng	动	to take care
7	饯行	jiànxíng	动	to have a farewell dinner
8	祝	zhù	动	to wish
9	一路	yílù	名	all the way
10	平安	píng'ān	形	safe and sound, without mishap
11	幸福	xìngfú	形	happy

12	顺利	shùnlì	形	smooth, without a hitch
13	刚	gāng	副	just
14	句	jù	量	sentence
15	感谢	gǎnxiè	动	to thank
16	舍不得	shěbude	动	to hate to part with or to use, to be grudge
17	举	jǔ	动	to raise
18	为	wèi	介	for
19	友谊	yǒuyì	名	friendship
20	干杯	gān bēi		to drink a toast
21	该	gāi	助动	should
22	登	dēng	动	to board
23	手续	shǒuxù	名	procedures, formalities
24	护照	hùzhào	名	passport
25	机票	jīpiào	名	plane ticket
26	代	dài	动	to represent
27	问好	wèn hǎo		to say hello
28	顺风	shùn fēng		to have a good trip

课文 TEXTS

1

Lìli: Xià xīngqī wǒ jiù yào huí guó le, wǒ lái xiàng nín gào bié.
莉莉：下星期我就要回国了,我来向您告别。

Lǎoshī: Xíngli dōu shōushi hǎo le ma?
老师：行李都收拾好了吗?

Lìli: Dōu shōushi hǎo le.
莉莉：都收拾好了。

Lǎoshī: Nǎ tiān de fēijī?
老师：哪 天 的 飞机?

Lìli: Xià xīngqī'èr shàngwǔ shí diǎn yí kè de.
莉莉：下 星期二 上午 十 点一刻 的。

Lǎoshī: Xīngqī'èr wǒ hái děi shàng bān, kǒngpà sòng bu liǎo nǐ le.
老师：星期二 我 还 得 上 班，恐怕 送 不 了 你 了。

Lìli: Búyòng sòng le, nín duō bǎozhòng.
莉莉：不用 送 了，您 多 保重。

2 （回国前一天晚上，莉莉的中国朋友给她饯行）

Xiǎoyè: Lìli, jīntiān wǒmen gěi nǐ jiànxíng, zhù nǐ yílù píng'ān!
小叶：莉莉，今天 我们 给 你 饯行，祝 你 一路平安!

Lìli: Wǒ yě zhù nǐmen shēnghuó xìngfú, gōngzuò shùnlì!
莉莉：我 也 祝 你们 生活 幸福， 工作 顺利!

Xiǎoyè: Gāng lái Zhōngguó de shíhou, nǐ lián yí jù Hànyǔ yě bú huì shuō,
小叶：刚 来 中国 的 时候，你 连 一 句 汉语 也 不 会 说，

xiànzài shuō de zhēn búcuò.
现在 说 得 真 不错。

Lìli: Nǐmen gěi le wǒ hěn duō bāngzhù, wǒ zhēn bù zhīdào zěnme
莉莉：你们 给 了 我 很 多 帮助， 我 真 不 知道 怎么

gǎnxiè nǐmen cái hǎo.
感谢 你们 才 好。

Xiǎoyè: Nǐ shuō dào nǎr qù le? Wǒmen zhēn shěbude nǐ zǒu.
小叶：你 说 到 哪儿 去 了?[1] 我们 真 舍不得 你 走。

Lìli: Wǒ yě shì. Wǒmen yídìng huì zài jiàn miàn de.
莉莉：我 也 是。我们 一定 会 再见 面 的。

Xiǎoyè: Lái, dàjiā jǔ bēi, wèi wǒmen de yǒuyì gān bēi.
小叶：来，大家 举杯，为 我们 的 友谊 干杯。

Dàjiā: Gān bēi!
大家：干 杯!

3 （在机场）

Xiǎoyè: Zánmen yìqǐ zhào zhāng xiàng ba.
小叶：咱们 一起 照 张 相 吧。

Lìli: Hǎo. Qǐng bǎ zhàopiàn fā gěi wǒ.
莉莉：好。请 把 照片 发给我。

Xiǎoyè: Gāi bàn dēng jī shǒuxù le, hùzhào hé jīpiào dōu ná chulai le ba?
小叶：该 办 登机手续了，护照 和 机票 都 拿 出来 了 吧？

Bié diū le.
别 丢 了。

Lìli: Nà zánmen jiù zài zhèr shuō "zàijiàn" ba.
莉莉：那 咱们 就 在 这儿 说 "再见" 吧。

Xiǎoyè: Bié wàngle gěi wǒmen lái xìn.
小叶：别 忘 了 给 我们 来 信。

Lìli: Wàng bu liǎo.
莉莉：忘 不 了。

Xiǎoyè: Huíqu jiàndào Xīméng dehuà, qǐng dài wǒmen xiàng tā wèn hǎo.
小叶：回去 见到 西蒙 的话，请 代 我们 向 他 问 好。

Lìli: Wǒ yídìng zhuǎngào.
莉莉：我 一定 转告。

Péngyoumen: Yílù shùnfēng! Zàijiàn!
朋友们：一路 顺风！[2] 再见！

Lìli: Zàijiàn!
莉莉：再见！

注释 NOTES

1 你说到哪儿去了？

"你说到哪儿去了" 意思是埋怨对方说话过于客气。

"你说到哪儿去了" is used when complaining that the person one talks with is too polite.

2 一路顺风！

"一路顺风"是祝人旅途顺利、平安的吉祥话。

"一路顺风" is used io express one's good wishes to a person who will go on a trip.

语法 GRAMMAR

行李收拾好了。

意义上的被动句 | Notional passive sentences

除了"被"字句以外，汉语里还有一种句子，它的主语也是受事，但是在形式上与主语是施事的句子没有区别，我们把它叫作意义上的被动句。例如：

Apart from the "被" sentences, there is another type of passive sentences. In the sentences of this type, the subjects are the receivers of actions, but the sentences have the same structure as sentences whose subjects are performers of actions. We call such sentences notional passive sentences, e.g.

① 行李都收拾好了吗？

② 护照和机票都拿出来了吧？

当我们不必强调主语和动词的被动关系或者不必指出施事者时，可以使用意义上的被动句。

When there is no need to indicate the passive relationship between the subject and the verb, or no need to indicate the performer, the notional passive sentences are used.

• 练习 EXERCISES •

将下列短语扩展成意义上的被动句　Make notional passive sentences with the words below

❶ 写完　⇨ --

❷ 贴好　⇨ --

❸ 洗干净　⇨ --

❹ 摔坏　⇨ --

❺ 关上　⇨ --

❻ 寄去　⇨ --

综合练习 COMPREHENSIVE EXERCISES

▶ **一、替换练习** Substitution drills

① <u>下星期</u>我就要<u>回国</u>了，我来向您告别。

② A：<u>星期二</u>我还得<u>上班</u>，恐怕送不了你。

　　B：不用送了，您多保重。

③ A：<u>莉莉</u>，今天我们给你饯行，祝你<u>一路平安</u>！

　　B：我也祝你们<u>生活幸福</u>，<u>工作顺利</u>！

④ A：<u>你们给了我很多帮助</u>，我真不知道怎么感谢你们才好。

　　B：你说到哪儿去了？

⑤ <u>我们</u>真舍不得<u>你走</u>。

⑥ A：来，大家举杯，为<u>我们的友谊</u>干杯。

　　B：干杯！

⑦ 回去见到<u>西蒙</u>的话，请代<u>我们</u>向<u>他</u>问好。

▶ **二、会话练习** Dialogue exercises

　　会话题目 Topics：**①** 我来向您告别

　　　　　　　　　　 ② 为……干杯

　　　　　　　　　　 ③ 请代……向……问好

▶ **三、自由表述** Speak freely

　　你就要跟老师和同学们说"再见"了，现在你最想说什么？

▶ **四、听一首中国歌** Listen to a Chinese song

听力练习录音文本

LISTENING SCRIPTS

第16课　他正在等他爱人呢

三、听后复述

　　王先生的爱人问王先生："你在找什么呢？"王先生回答："我在找我的汽车钥匙呢。"王先生的爱人一边帮王先生找一边说："你不应该说'我在找我的汽车钥匙呢'，你应该说'我在找我们的汽车钥匙呢'。结婚以后，应该只说'我们的'，不应该说'我的'。"晚上王先生正在刮胡子，王先生的爱人问王先生："你做什么呢？"王先生回答："亲爱的，我在刮我们的胡子呢！"

第17课　刚才你去哪儿了

三、听后回答问题并复述

　　今天是田中的生日，朋友们打算给他开一个生日晚会。直美和莉莉下了课就去买东西。她们先去市场买了三斤橘子、两斤苹果，然后去商店买了一个大蛋糕。最后，她们在学校旁边的花店买了很多花。她们没买饮料。饮料英男已经买了。

第18课　秋天了

三、听后复述

　　两年以前，我朋友的女儿看上去还很小。现在她七岁了，个子高了，头发长了，更聪明了，也更可爱了。她告诉我，她已经是小学生了。

第19课　你游泳游得怎么样

三、听后判断正误并复述

　　我是个旱鸭子，我很想学游泳。从上星期开始，我的一个朋友教我学游泳。我觉得游泳有意思是有意思，不过有点儿难。现在我会一点儿了，可是游得不怎么样，只能游二十多米。我要努力练习，以后我想跟我的游泳老师比赛，你们说，我能赢吗？

第20课　明天我就要回国了

三、听后选择正确答案

　　小雨工作半个多月了。他每天工作八个小时，每星期工作五天。他每天骑自行车去公司。他家离公司不太远，骑十五分钟就到了。小雨非常喜欢他的工作，虽然工作的时候比较紧张，但是他觉得很愉快。不过，现在他不能睡懒觉了。在学校的时候，他常常八点多才起床，现在六点就得起床了。

第21课　你去过香山吗

三、听后回答问题并复述

　　老师说：“汤姆，你今天早上吃的是面包和巧克力吧？”汤姆问老师：“您是怎么知道的？”老师说：“是从你的脸上知道的。你的脸上有面包和巧克力。”汤姆说：“不过，老师，面包是今天早上吃的，巧克力不是今天早上吃的，是昨天吃的。”

第22课　门开着

三、听后将下列物品的编号填入图中

　　这是直美和莉莉的房间。门上写着“301”，门旁边挂着一个书包，门口放着两双鞋。窗户旁边放着两张床，床旁边放着两张桌子。左边的桌子上摆着一个台灯和一张照片，右边的桌子上放着一个电话。窗台上摆着花。

第23课 你打错了

三、听后回答问题

一个饭店的男服务员早上去给客人打扫房间。他看见一位女客人只穿着内衣，就一边打扫房间一边说："先生，您应该穿好衣服，房间里有点儿冷。"等那位客人穿好衣服以后，他又说："哎呀，刚才我看错了，原来您是一位漂亮的女士！"

第24课 她出去了

五、听后选择正确答案并复述

一天，王先生跟他爱人吵架了。王先生生气地说："带走你的东西，别回来了！"他爱人听了，哭着跑进房间去。过了一会儿，她从房间里拿出来一个大袋子，对王先生说："你进袋子里去吧。"王先生说："你要做什么？"他爱人回答："你让我带走我的东西，你也是我的，我当然要带走。"

第25课 他恐怕去不了

三、听后回答问题

一个病人看完病以后，有点儿紧张地问大夫："您不是真的大夫吧？"大夫说："为什么？"病人回答："以前我看病的时候，大夫们的话我常常听不懂，药方上的字我也看不清楚。可是，您的话我都听得懂，药方上的字我也看得清楚。所以，您怎么可能是真的大夫呢？"

第26课 西安比北京还热

五、听后复述

今天是我朋友女儿的生日。她三岁了。她有一个哥哥。我问她："你哥哥比你大几岁？"她非常高兴地说："去年妈妈告诉我，哥哥三岁，比我大一岁。现在我也三岁了，我跟哥哥一样大了。"

第 27 课　你把自行车放在哪儿了

四、听后回答问题并复述

一位老人去法国看儿子。他不会说法语。一天，他想去外边逛逛。他儿子家前边的路口有一个牌子，他把牌子上的字当成了这条路的名字，写在了纸上。回来时，他把这张纸交给出租车司机，司机看到上边写着"此路不通"。

第 28 课　快把空调关上

四、听后回答问题并复述

有一个人喝醉了。回到家门口时，他把钥匙拿出来开门，可是开了半天，也没能把门打开。这时，他的邻居走过来说："要我帮忙吗？"他说："麻烦您帮我把房子抓住，别让它晃。"

第 29 课　钱包被小偷偷走了

四、听后回答问题并复述

小明昨天没做作业，他怕被老师批评，所以今天一进教室就告诉老师："老师，刚才我来学校的时候，我的东西被小偷偷走了。"老师问："什么东西？"小明回答："我的作业。"

词汇表

VOCABULARY

A			
爱	ài	动	19
安静	ānjìng	形	20
按时	ànshí	副	28

B			
把	bǎ	介	27
摆	bǎi	动	22
搬	bān	动	27
办	bàn	动	26
半天	bàntiān	名	20
伴儿	bànr	名	26
帮	bāng	动	24
帮忙	bāng máng		24
帮助	bāngzhù	动	26
棒	bàng	形	19
饱	bǎo	形	18
保重	bǎozhòng	动	30
报	bào	名	22
报纸	bàozhǐ	名	20
抱	bào	动	22
抱歉	bàoqiàn	形	24

背	bēi	动	22
被	bèi	介	29
比	bǐ	介	26
比赛	bǐsài	名	19
毕业	bì yè		21
遍	biàn	量	21
表	biǎo	名	27
别	bié	副	24
病	bìng	动/名	17
不用	búyòng	副	20
不好意思	bù hǎoyìsi		24

C			
擦	cā	动	16
猜	cāi	动	16
才	cái	副	20
差不多	chàbuduō	副	21
拆	chāi	动	28
长途	chángtú	形	25
场	chǎng	量	19
车棚	chēpéng	名	27
成	chéng	动	27

抽（时间）	chōu (shíjiān)	动	17
抽烟	chōu yān		19
出	chū	动	24
出差	chū chāi		21
除了……以外	chúle…… yǐwài		21
穿	chuān	动	22
船	chuán	名	26
窗户	chuānghu	名	22
窗台	chuāngtái	名	22
春天	chūntiān	名	18
次	cì	量	21
从来	cónglái	副	21
错	cuò	形	23

D

打（电话）	dǎ (diànhuà)	动	16
打（球）	dǎ (qiú)	动	19
打开	dǎ kāi		28
打扰	dǎrǎo	动	24
打算	dǎsuàn	动/名	16
打折	dǎ zhé		16
打针	dǎ zhēn		28
打字	dǎ zì		19
大概	dàgài	形	25
大家	dàjiā	代	16

待	dāi	动	23
大夫	dàifu	名	28
代	dài	动	30
戴	dài	动	22
耽误	dānwu	动	25
但是	dànshì	连	20
当	dàng	动	27
导游	dǎoyóu	名	18
倒	dǎo	动	29
倒霉	dǎoméi	形	29
地	de	助	22
的话	dehuà	助	25
得	de	助	19
得	děi	助动	19
登	dēng	动	30
地图	dìtú	名	22
递	dì	动	27
第	dì	头	21
顶	dǐng	量	17
丢	diū	动	29
冬天	dōngtiān	名	18
懂	dǒng	动	23
动物园	dòngwùyuán	名	27
堵车	dǔ chē		20
度	dù	量	28

短信	duǎnxìn	名	23
队	duì	名	19
对	duì	形	23
对	duì	介	26
对话	duìhuà	名	25
顿	dùn	量	29

F

发	fā	动	23
发烧	fā shāo		28
法语	Fǎyǔ	名	27
翻译	fānyì	动	27
饭店	fàndiàn	名	26
方便	fāngbiàn	形	26
方面	fāngmiàn	名	26
妨碍	fáng'ài	动	24
放	fàng	动	22
放心	fàng xīn		25
分钟	fēnzhōng	名	18
风	fēng	名	18
风景	fēngjǐng	名	17
风味	fēngwèi	名	21
封	fēng	量	21
复习	fùxí	动	29

G

该	gāi	助动	30

干杯	gān bēi		30
赶	gǎn	动	25
赶快	gǎnkuài	副	28
感冒	gǎnmào	动/名	28
感谢	gǎnxiè	动	30
感兴趣	gǎn xìngqù		26
刚	gāng	副	30
刚才	gāngcái	名	16
告别	gào bié		30
胳膊	gēbo	名	29
各	gè	代	22
更	gèng	副	18
估计	gūjì	动	19
古迹	gǔjì	名	26
顾客	gùkè	名	16
刮	guā	动	18
挂	guà	动	22
关	guān	动	18、28
光盘	guāngpán	名	21
逛	guàng	动	17
国内	guónèi	名	26
国外	guówài	名	26
过	guò	动	20
过	guo	助	21

H			
咳	hāi	叹	29
还	hái	副	26
旱鸭子	hànyāzi	名	19
好	hǎo	副	20
好处	hǎochu	名	28
好听	hǎotīng	形	21
嗬	hē	叹	17
河	hé	名	26
盒	hé	名	24
黑板	hēibǎn	名	16
红叶	hóngyè	名	18
互相	hùxiāng	副	26
护照	hùzhào	名	30
花瓶	huāpíng	名	28
话	huà	名	20
坏	huài	形	27
还	huán	动	27
回	huí	动	18
回答	huídá	动	16
回来	huílai	动	23
会	huì	助动	19
货架	huòjià	名	22

J			
机票	jīpiào	名	30

急	jí	形	23
记	jì	动	23
寄	jì	动	16
家	jiā	量	16
假	jiǎ	形	21
简单	jiǎndān	形	21
饯行	jiànxíng	动	30
建议	jiànyì	动/名	26
讲	jiǎng	动	23
交	jiāo	动	16、27
郊游	jiāoyóu	动	25
叫	jiào	动	23、24
叫	jiào	介	29
接	jiē	动	23
结婚	jié hūn		18
结束	jiéshù	动	26
戒	jiè	动	28
借	jiè	动	24
紧张	jǐnzhāng	形	20
警察	jǐngchá	名	29
久	jiǔ	形	24
旧	jiù	形	28
举	jǔ	动	30
句	jù	量	30

K			
开	kāi	动	18、22、27
开（药）	kāi (yào)	动	28
开始	kāishǐ	动	23
看	kàn	动	17
看见	kànjiàn	动	23
看上去	kàn shangqu		18
考	kǎo	动	29
考试	kǎoshì	动/名	18
烤鸭	kǎoyā	名	17
咳嗽	késou	动	28
可	kě	副	21
可能	kěnéng	助动	16
客厅	kètīng	名	22
肯定	kěndìng	副	25
空气	kōngqì	名	28
恐怕	kǒngpà	副	25
空儿	kòngr	名	25
哭	kū	动	22

L			
篮球	lánqiú	名	19
懒	lǎn	形	18
冷	lěng	形	18
立	lì	动	22
俩	liǎ	数量	25

连……也……	lián……yě……		29
凉快	liángkuai	形	26
量	liáng	动	28
聊天儿	liáo tiānr		16
邻居	línjū	名	20
淋	lín	动	29
流利	liúlì	形	20
录音	lùyīn	名/动	29
旅行	lǚxíng	动	16

M			
麻烦	máfan	动/形	23
马上	mǎshàng	副	24
猫	māo	名	22
帽子	màozi	名	17
美	měi	形	17
门	mén	名	18
名胜	míngshèng	名	26
明年	míngnián	名	16

N			
拿	ná	动	22
那（么）	nà (me)	连	24
能	néng	助动	18
女	nǚ	形	19
女朋友	nǚpéngyou	名	19
暖和	nuǎnhuo	形	18

P			
趴	pā	动	22
怕	pà	动	28
排	pái	量	22
排队	pái duì		16
排球	páiqiú	名	21
牌子	páizi	名	22
胖	pàng	形	18
跑	pǎo	动	24
陪	péi	动	17
批评	pīpíng	动	29
篇	piān	量	27
票	piào	名	23
乒乓球	pīngpāngqiú	名	21
平安	píng'ān	形	30
平时	píngshí	名	28

Q			
起来	qǐlai	动	24
气	qì	动	29
墙	qiáng	名	22
巧	qiǎo	形	18
亲戚	qīnqi	名	18
青	qīng	形	29
清楚	qīngchu	形	23
晴	qíng	形	18

秋天	qiūtiān	名	18
球星	qiúxīng	名	19
取	qǔ	动	23
去年	qùnián	名	21
劝	quàn	动	28
确实	quèshí	副	26
裙子	qúnzi	名	17

R			
让	ràng	动	24
让	ràng	介	29
人民币	rénmínbì	名	27
认真	rènzhēn	形	22
容易	róngyì	形	26

S			
三轮车	sānlúnchē	名	29
嗓子	sǎngzi	名	28
沙发	shāfā	名	22
山	shān	名	18
商量	shāngliang	动	26
上	shàng	名	17
上	shàng	动	24
上（闹钟）	shàng (nàozhōng)	动	25
上班	shàng bān		30
少	shǎo	形	16
舍不得	shěbude	动	30

深	shēn	形	26
生词	shēngcí	名	17
生活	shēnghuó	动/名	26
生气	shēng qì		22
师傅	shīfu	名	29
湿	shī	形	29
时间	shíjiān	名	17
收拾	shōushi	动	30
手	shǒu	名	28
手表	shǒubiǎo	名	23
手续	shǒuxù	名	30
受伤	shòu shāng		25
瘦	shòu	形	18
书房	shūfáng	名	22
书架	shūjià	名	22
输	shū	动	19
树叶	shùyè	名	18
摔	shuāi	动	28
水平	shuǐpíng	名	27
睡觉	shuì jiào		18
睡懒觉	shuì lǎnjiào		18
顺风	shùn fēng		30
顺利	shùnlì	形	30
送	sòng	动	20、24
虽然	suīrán	连	20
所以	suǒyǐ	连	20

T

它	tā	代	27
躺	tǎng	动	22
烫	tàng	形	25
特别	tèbié	副	17
疼	téng	形	28
踢	tī	动	19
提	tí	动	29
体温	tǐwēn	名	28
体温表（体温计）	tǐwēnbiǎo (tǐwēnjì)	名	28
天气	tiānqì	名	18
挑	tiāo	动	16
贴	tiē	动	27
听见	tīngjiàn	动	23
听力	tīnglì	名	29
停	tíng	动	23
同意	tóngyì	动	26
偷	tōu	动	29
头疼	tóu téng		28
透	tòu	形	29
推	tuī	动	27
腿	tuǐ	名	29

W

外边	wàibian	名	16
完	wán	动	23

玩具	wánjù	名	29
玩儿	wánr	动	17
晚	wǎn	形	19
晚会	wǎnhuì	名	27
网球	wǎngqiú	名	19
忘	wàng	动	25
喂	wéi/wèi	叹	23
为	wèi	介	30
为什么	wèi shénme		25
文章	wénzhāng	名	27
问好	wèn hǎo		30
屋	wū	名	24
勿	wù	副	22

X

吸烟	xī yān		19
希望	xīwàng	动/名	26
洗	xǐ	动	17
洗澡	xǐ zǎo	动	17
下	xià	名	18
下	xià	动	24
下（雨）	xià (yǔ)	动	16
夏天	xiàtiān	名	18
先生	xiānsheng	名	16
羡慕	xiànmù	动	19
向	xiàng	介	30

像话	xiànghuà	形	29
小吃	xiǎochī	名	21
小时	xiǎoshí	名	20
小说	xiǎoshuō	名	24
小偷	xiǎotōu	名	29
小心	xiǎoxīn	形	29
小学	xiǎoxué	名	18
些	xiē	量	21
信	xìn	名	16
信封	xìnfēng	名	27
行	xíng	形	21
行李	xíngli	名	30
幸福	xìngfú	形	30
熊猫	xióngmāo	名	27
修	xiū	动	23

Y

烟	yān	名	28
邀请	yāoqǐng	动	25
要是	yàoshi	连	24
钥匙	yàoshi	名	27
一…… 就……	yī…… jiù……		23
衣服	yīfu	名	17
依我看	yī wǒ kàn		26
一定	yídìng	副	19
一路	yílù	名	30

一样	yíyàng	形	26		愉快	yúkuài	形	20
咦	yí	叹	16		雨	yǔ	名	16
已经	yǐjīng	副	17		预报	yùbào	动	26
以前	yǐqián	名	17		预习	yùxí	动	24
椅子	yǐzi	名	22		愿意	yuànyì	助动	28
一边…… 一边……	yìbiān…… yìbiān……		16		约	yuē	动	25
					约会	yuēhuì	名	25
一会儿	yìhuǐr/yíhuìr	数量	20		运动	yùndòng	名	19
一直	yìzhí	副	23		**Z**			
意思	yìsi	名	25		杂志	zázhì	名	24
因为	yīnwèi	连	20		脏	zāng	形	25
阴	yīn	形	18		早	zǎo	形	19
音乐	yīnyuè	名	16		站	zhàn	动	22
音乐会	yīnyuèhuì	名	19		张	zhāng	动	28
英语	Yīngyǔ	名	21		招聘	zhāopìn	动	16
赢	yíng	动	19		着急	zháojí	形	27
应聘	yìngpìn	动	16		找	zhǎo	动	16
哟	yō	叹	28		照相	zhào xiàng		24
邮票	yóupiào	名	16		照相机	zhàoxiàngjī	名	24
游泳	yóu yǒng		19		这么	zhème	代	17
友谊	yǒuyì	名	30		着	zhe	助	22
有的	yǒude	代	16		真	zhēn	副	21
有名	yǒumíng	形	21		整齐	zhěngqí	形	22
又	yòu	副	24		正在	zhèngzài	副	16
幼儿园	yòu'éryuán	名	18		只	zhī	量	17

枝	zhī	量	17
中文	Zhōngwén	名	25
主意	zhúyi/zhǔyi	名	29
祝	zhù	动	30
抓	zhuā	动	29
转告	zhuǎngào	动	23
壮	zhuàng	形	26
撞	zhuàng	动	29
准备	zhǔnbèi	动	20
自己	zìjǐ	代	21
字幕	zìmù	名	25
足球	zúqiú	名	19
嘴	zuǐ	名	28
最好	zuìhǎo	副	26
作业	zuòyè	名	23

座位	zuòwèi	名	25
做	zuò	动	19

专 名

安娜	Ānnà		16
巴黎	Bālí		20
巴西	Bāxī		19
大连	Dàlián		21
罗纳尔多	Luónà'ěrduō		19
美国	Měiguó		21
全聚德	Quánjùdé		17
上海	Shànghǎi		17
田中	Tiánzhōng		21
西安	Xī'ān		26
香山	Xiāng Shān		18